文房具の解剖図鑑

増補改訂版

THE ANATOMICAL CHART OF STATIONERIES

ヨシムラ マリ ＋ トヨオカ アキヒコ
MARI YOSHIMURA + AKIHIKO TOYOOKA

【キャンパスノート（コクヨ）】

……Campus Note

普通のノートと侮るなかれ。「定番」なのには理由がある

「国民的ノートと言えば?」と尋ねられて、「コクヨのキャンパスノート!」と答える人は多いはず。今は立派なIT企業の社長さんも、学生の頃はきっとキャンパスノートで一生懸命勉学に励んでいたことでしょう。

そんな世代を超えたロングセラーの歴史をコクヨのお話から紐解き、「普通」に私たちの身近にあり、「普通」のノートとして長らく愛され続ける理由を探ってみました。

取材協力●コクヨ株式会社 東京品川オフィス　佐藤祐子さん　服部慎吾さん　絵馬多美子さん

憧れのキャンパスがノートになった！

キャンパスノートの歴史は、実に1965年まで遡ります。このときお目見えした〝元祖〟キャンパスノートは、その頃日本で主流だった「糸とじ」ではなく、米国で一般的だった「スパイラルリングとじ」を採用。そして、表紙に写真などを掲載した業界初の意匠ノートだったことが斬新だったそうです。特に欧米の有名大学の風景写真を用いた「世界の学府シリーズ」は、当時日本で大流行していた米国の学生のファッション「アイビールック」と相まってスマッシュヒット。以降、学生たちの〝キャンパスライフ〟に必須アイテムとなりました。

そして1975年には、現在のキャンパスノートの原型となる、俗に「初代」と呼ばれるキャンパスノートがデビュー。こちらはフラットに開き、丈夫さが売りの「無線とじ」であることが大きな特長でした。

実はこれ以前、1959年にはすでに無線とじノートは発売されていましたが、糊が剥がれやすいなどの問題が…。しかし、改良を重ねに重ね、努力が結実して誕生したのが、1975年型無線とじのシン・キャンパスノート

初代キャンパスノート
1975年当時は
画期的だった
Campus
Campus
オシャレな
カラー表紙
まさかこんなに
ロングセラーに
なるとは
ビックリ!!
丈夫で
フラットに開く
無線とじ
ノートとしては
後発だったからこそ
工夫したのがよかった
のカモ…

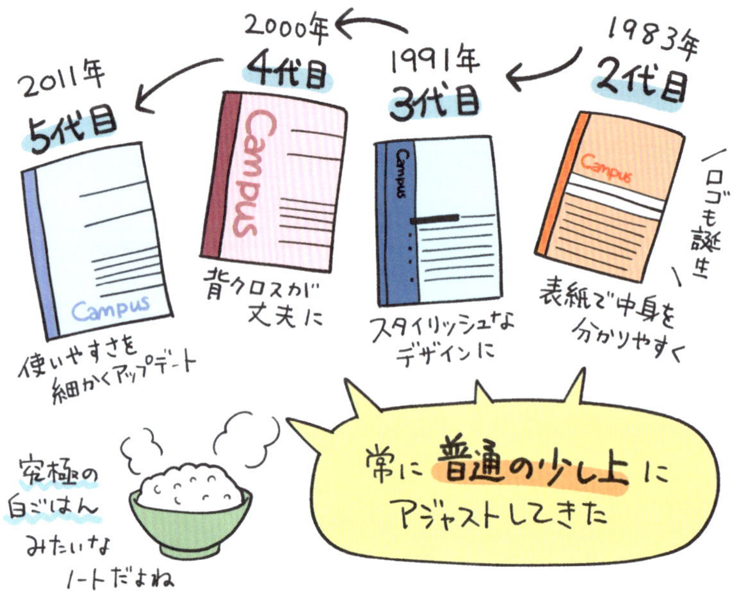

だったのです。

あなたの思い出のノートは何代目？

その後、２代目が１９８３年に発売。表紙には、はっきりと「Campus」のロゴ。さらに、一目見ただけでA罫とB罫の幅の違いがわかるように、という配慮から表紙にも罫線が印刷されました。

以降、１９９１年には３代目、２０００年には４代目のキャンパスノートが発売され、時代に合わせたデザインで、より書きやすく、より使いやすく、より丈夫に、とアップデートを重ねていきます。

そして現在も販売されている５代目が、２０１１年に登場。ペンで書き込みしやすい背クロスの表面加工、さらに線が引きやすい罫線の目印の追加などきめ細やかな改良が加えられました。

リニューアルごとの違いは、表紙のデザイン以外、ひと目見ただけではわからないかもしれません。一見「普通」の顔をしたキャンパスノートですが、実は私たちが気づかぬところで進化を遂げてきたのです。

さて、その５代目も発売から15年が経とうとしています。そろそろ６代目？　と期待も高まりますが、コクヨの方に尋ねると「リニューアルは技術の進歩に伴って、と同時に当社が表現したいものがあるときに行われてきました」とのこと。なるほど、リニューアルのためのリニューアルではなく、必要性があって初めてリニューアルされる、ということなのでしょう。

〝らしさ〟とは「定番」であること

キャンパスノートは誕生以来、累計販売数約37億冊（!）を超え、今では罫線や用途の違いのみならず、さまざまなコンセプトによって15種類300品番以上のバリエーションも用意されています。購買層が求める「普通」が多様化する中、それらのニーズに応え続けてきた結果でしょう。「丈夫さや書き心地はもちろん、お手頃な価格であることも大切。それらを満たして『定番』であることが〝キャンパスノートらしさ〟」とはコクヨ担当者の弁。

時代のニーズを汲み取りながら、品質だけでなく生産体制にまで注力し、常に「定番」であり続ける努力を惜しまない――。そんなキャンパスノートが、「普通のノート」の基準をより高いレベルに引き上げたといっても過言ではないでしょう。

【ジェットストリーム（三菱鉛筆）】

"クセになる、なめらかな書き味"は挑戦の賜物

JETSTREAM

耐水性、速乾性などに優れる油性ボールペンですが、一昔前までは「書き味が重い」といった先入観がありました。しかし、そのイメージを一変させたのが三菱鉛筆の「ジェットストリーム」。水性に勝るとも劣らぬなめらかな書き心地で、発売から20年が経った今、誰もが知る定番として認知されています。

　このジェットストリームの"挑戦"の歩みを知るため、三菱鉛筆を訪ねてきました。

「油性が苦手」から始まるストーリー

現在定番となっているノック式のジェットストリームが発売されたのは、今からおよそ20年前の2006年。それ以前、油性ボールペンは、耐水性・耐光性の高さから契約書、公文書などの筆記に適しており、主に社会人が用いていました。一方、「書き味が重い」「細い線が書きにくい」と不満を持つ学生を中心に、

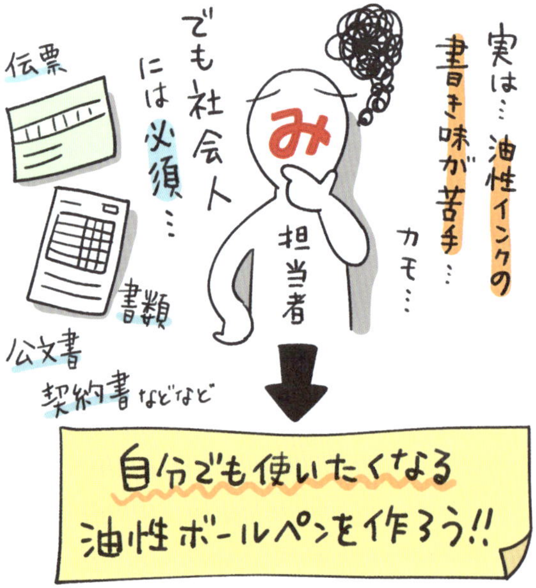
実は…油性インクの書き味が苦手…
カモ…
み
担当者
でも社会人には必須…
伝票
書類
公文書
契約書などなど
自分でも使いたくなる油性ボールペンを作ろう!!

取材協力●三菱鉛筆株式会社　深沢直人さん　岡本達也さん

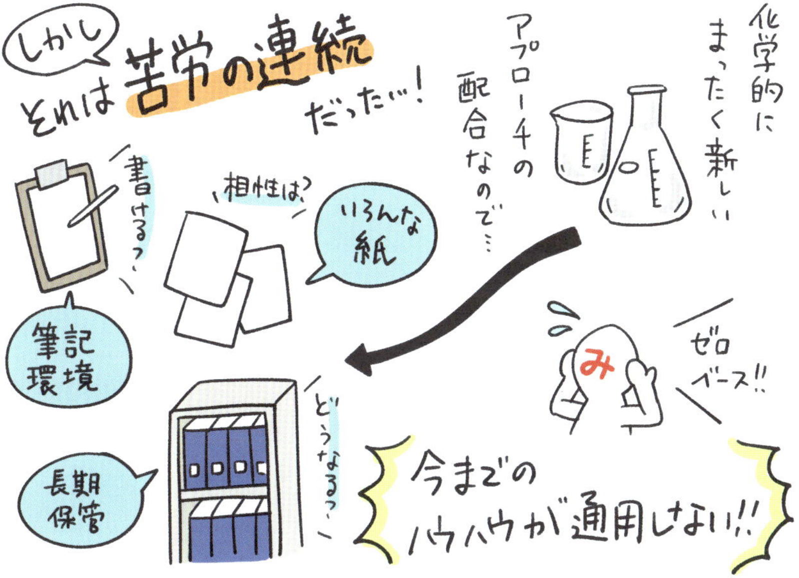

書き味なめらかなゲルインク・水性インクのボールペンが人気を博していました。

　実は当時のジェットストリーム開発者も、「筆圧が弱いので油性ボールペンは苦手」という一人だったそう。書き味だけでなく、ダマやかすれができやすいなど、それまでの油性ボールペンの弱点を洗い出して改良。自身も書きやすい油性ボールペンを、と理想を掲げることから開発が始まったのです。

　しかし、ここからいわゆる〝ゼロイチ〟の苦労が始まります。それまで蓄積してきたノウハウが通用しないことが多かったため、インクとチップ（ペン先部分）の構造をすべて見直し。その何百通りという組み合わせで、さまざまな種類の紙での書き味を試し、保管に堪えるかどうかなどを検証——幾度となく試作とテストの繰り返しの結果、遂に誕生したのが「低粘度油性インク」搭載のジェットストリームだったのです。

〝書いてもらえばわかる〟クセになる書き味

　画期的な製品の登場は、文房具業界に少なからず衝撃を与えましたが、当初は順風満帆とはいかなかった様子。

　当時の営業担当者による

と、その頃は「文房具は会社が購入して社員に配布するもの」という風潮がまだ根強くあり、目新しい文房具を即採用とはならない時代。また、その革新性から文房具店も慎重になり、すぐには受け入れてくれない――。そのような状況の中、「とにかく一度使ってもらえば、良さをわかっていただける」との思いで、営業先や店頭のキャンペーンなどでは実際に書いてもらうことを重視したそうです。

そのような地道な販売努力を続ける一方で、文房具の個人購入が一般化してきました。「どうせ自分で買うなら、自分が使いやすいものを」という人が増えた結果、製品の謳い文句である「クセになる、なめらかな書き味」を賞味した人たちがリピーターに。やがてジェットストリームは、ボールペン市場の〝メインストリーム〟となっていきました。

ジェットストリームの歴史
それは「挑戦」の歴史

誕生から20年近く経つジェットストリームですが、その間、さまざまなバリエーションが生み出されてきました。定番の「ジェットストリーム スタンダード」に始まり、多色ボールペンや、シャープペンシルが加わった多機能ペン、上質な書き味とデザインの「ジェットストリーム プライム」、世界最小0・28ミリ超極細ボール径の「ジェットストリーム エッジ」、より軽やかな書き心地を追求した「ジェットストリーム ライトタッチインク」など実に多種多様。2025年登場の、ドイツのラミー社の「サファリ」にジェットストリームのインクを搭載した「ラミー サファリ ジェットストリーム インサイド」も話題になりました。

こうした幅広いラインアップは「定番商品を求める購買層を大切にしつつ、市場のニーズに合わせ、選択肢を提供したい」という同社の挑戦の賜物といっていいでしょう。

巷のボールペン人気ランキングでは、NO・1が定位置のジェットストリーム。それでも三菱鉛筆は、「私たち自身はNO・1だとは思っていません」と明言します。これは「まだまだお客さんに寄り添えることがあり、進化できる余地がある」との思いからだそうです。

ジェットストリームの歴史は挑戦の歴史——これからも「クセになる、なめらかな書き味」の追求は続くことでしょう。

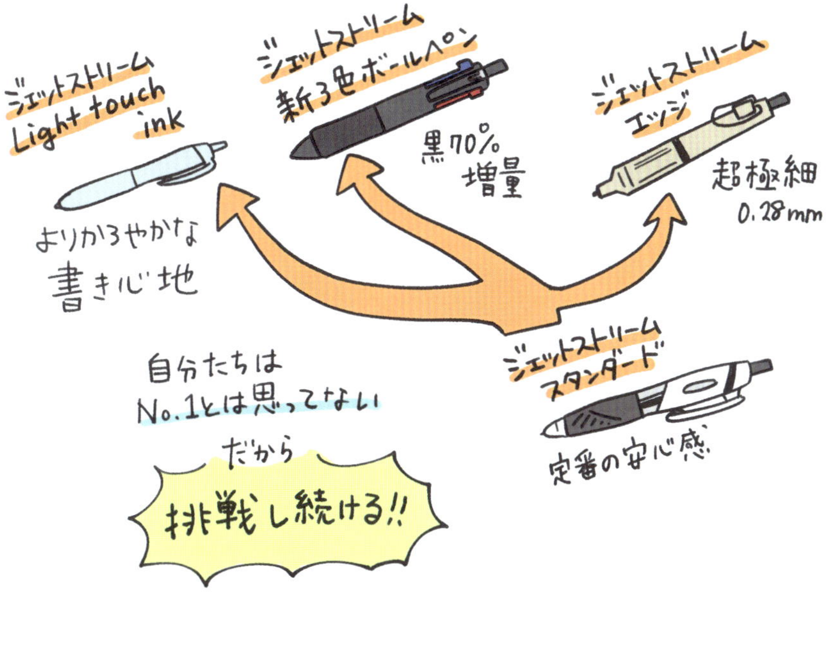

【インク&万年筆（セーラー万年筆）】……Fountain Pen & Ink

老舗メーカーが提案する〝人それぞれ〟のインク、万年筆

実は…
技術力・開発力がスゴイのだ!!
日本では未開発だった
初の純国産金ペン
1954年
カートリッジ式万年筆を
開発・特許取得
インクが切れてもあわてない!!

現在の若者には想像もつかないでしょうが、かつて昭和の時代には、「男の三種の神器」と呼ばれるものが存在しました。それが腕時計、ライター、そして「万年筆」。そんな時代を経て、姿形を変えながら、昔とはまた違った万年筆の市場が現在生まれています。〝万年筆のルネサンス〟というべき状況はどのようにして起こったのか、業界を牽引するセーラー万年筆に話を伺いました。

〝国産初〟づくしの企業ヒストリー

諸説ありますが、初の国産万年筆を作ったと言われるセーラー万年筆は、１９１１年、広島県・呉市に阪田製作所として創業。創業者の阪田久五郎さんが、英国土産にもらった万年筆に感激したことから、板金加工の技術を生かし、日本で初めて14金のペン先を生産したそうです。

その後、１９４８年に国産

取材協力●セーラー万年筆株式会社　徳増克巳さん　草桶瑞紀さん　木村明子さん

初となるプラスチック射出成型で量産できる万年筆を、1954年にはカートリッジ万年筆を開発し、特許を取得。開発意欲は万年筆にとどまらず、1948年に国産初のボールペン、1972年には国産初の筆ペンを発売と、セーラー万年筆の歴史は〝国産初〟づくし。

また、同社の万年筆の歴史の中でもユニークなのが、1976年に発売された「キャンディ万年筆」。8色のボディと10色のインクで女子学生を中心に大ブレイクしました。当時は、万年筆市場も活況を呈しており、入学や就職といった節目のお祝い品として、万年筆が当たり前に選ばれていた時代でもありました。しかし、ビジネスシーンでボールペン利用が主流になり、パソコンが普及するにつれ、徐々に万年筆市場に陰りが見え始めます。

〝人の数だけ色がある〟カラーインクが大人気

そうした中、〝万年筆復興〟の一つのきっかけとなったのが、「〝色〟から万年筆、インクに興味を持ってもらいたい」との思いで2005年にスタートさせた「インク工房」です。これはインクの研究開発に携わっている〝インクブ

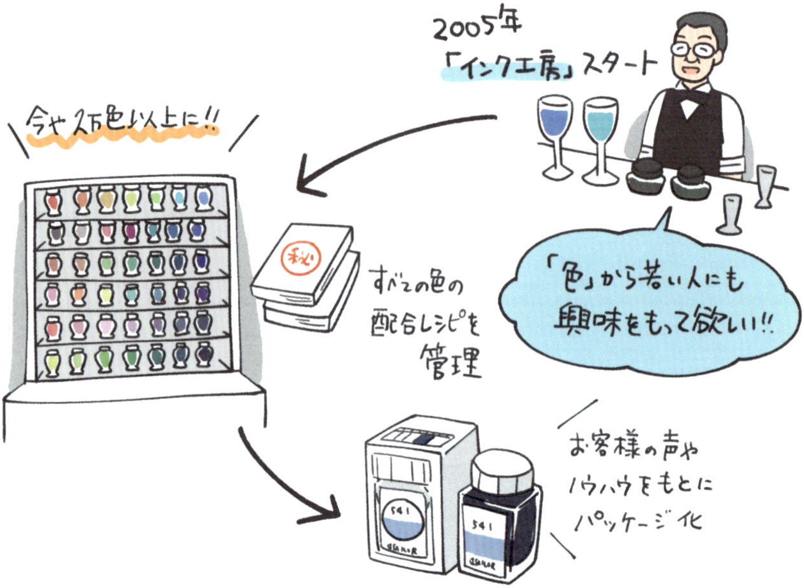

レンダー〟が、販売店の店頭などでオリジナルのインクを作ってくれるというイベント。「自分だけの色」を作れるこの試みは、文房具愛好家の間で話題に。毎回ある一色をリピートする人、微妙に色が違う〝青〟だけをオーダーする人などさまざまな人が訪れ、今やその配合レシピは2万色以上に上るそう。

同社は、2015年に他社に先駆けて多色インク「STORiA（ストーリア）顔料ボトルインク」を発売し、これが大ヒット。そして前出のインク工房を通じて来客者から直接得た意見を参考に色を調合した「インク工房100色インク」を2018年に発売。さらに2020年には、カラフルな万年筆用カートリッジインク「SHIKIORI－四季織－」を発売します。

これらカラーインクの登場は、「万年筆は持っていないけれど使ってみたい」という層も惹きつけました。そのような声に応えるように、ペン先を水で流すだけで簡単に色替えができる万年筆ペン先のつけペン「hocoro」が2021年に登場。お絵描き用途としても人気がある同商品は、昨今100円ショップでも目にするつけペンブームの先駆けと言えます。

こうして、かつてビジネス

用途、高級志向であった万年筆が、気軽に楽しめる趣味の文具として見直される時代がやってきたのです。

一人ひとりの好み、使い方に合った商品を

同社は「その人好みのインクを楽しむ」文化を定着させてきた一方、「その人に合った使い方」ができるように万年筆も進化させてきました。

2024年に発売、ペン先を回して調整、自分に合った角度に変えられるという画期的な「TUZUアジャスト万年筆」は、開発に苦労を重ねて生まれた製品。開発担当者によると「万年筆を使い慣れない人が困るのが持ち方、ペン先の角度。そこで人が万年筆に合わせるのではなく、万年筆が人に合わせるにはどうすればよいか、を考えました」とのこと。

そして2021年、同社はプラス株式会社と共同で、オリジナルの万年筆、ブレンドインクなどが購入できるショップ「アンコーラ」を東京・銀座にオープン。これは「お客さんとの接点を大切にした店舗」だそう。このお店に届けられたあなたの声をもとにした、新たな「国産初」の製品がお目見えする日もそう遠くないかもしれません。

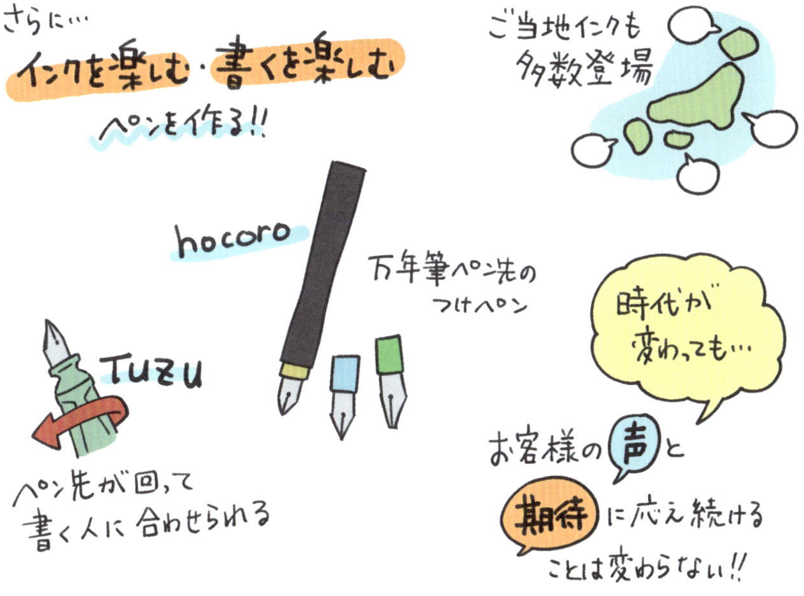
さらに…
インクを楽しむ・書くを楽しむ
ペンを作る!!
ご当地インクも
多数登場
hocoro
万年筆ペン先の
つけペン
時代が
変わっても…
TUZU
ペン先が回って
書く人に合わせられる
お客様の声と
期待に応え続ける
ことは変わらない!!

【メーカー訪問後記】 …………Postscript

手書き文化は、メーカーの熱き思いに支えられている

文具メーカー3社を訪問し、お話を伺ってみてまず感じたこと。それは「企業努力がスゴイ!」でした。

デジタル化によってペーパーレスが叫ばれる中、手書きの文房具、手書き文化の未来は大丈夫…?　というのが訪問前の正直な感想でした。しかし、各社とも現状を受け入れながら、より使いやすく、楽しい文房具を私たちに届けるため、前向きに取り組んでいる姿勢がうかがえました。

コクヨは、「タブレットよりも手書きのほうが学習・認知機能が強化される」といった学説を例に挙げ、「デジタルツールと手書き文具のすみ分けが進むのでは」と予想。そのようなすみ分けがされても、キャンパスノートは今も昔も「定番」であり続ける強みを生かし、未来の学生たちにまで愛され続けることでしょう。

「頭の中にあるイメージを形にする〝表現ツール〟としての筆記具に、アート分野も含めてまだまだ可能性を感じる」と語るのは、三菱鉛筆。「そこで私たちが貢献できることが必ずある」との強い思いは、ジェットストリームの挑戦と成功の歴史からもひしひしと伝わってきました。

セーラー万年筆は、「手書き、特に万年筆で書かれた文字には、書いた人の人柄や情景が見える」と言います。使い手の個性に寄り添うことで、実用品としてだけではない、万年筆とインクの新たな価値を生み出してきた同社だからこその言葉といえます。

日本の文房具は、こうした各メーカーの熱い思いの結晶であり、世界に誇れる文化です。

本編では、そんな素晴らしい文房具たちがまだまだたくさん登場しますので、ぜひ楽しんでください。

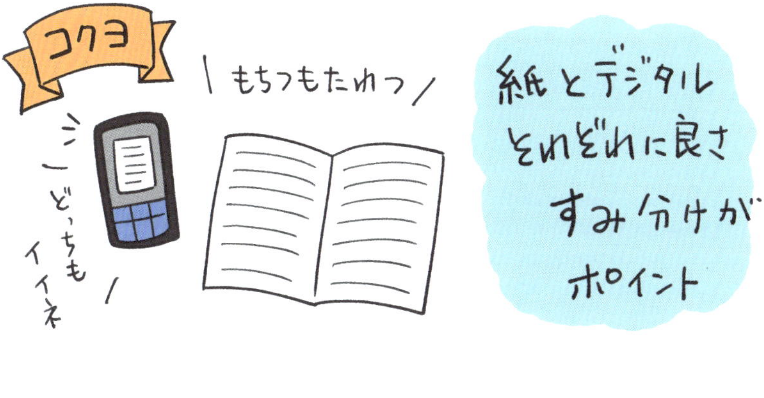
コクヨ
もちつもたれつ
どっちもイイネ
紙とデジタル
それぞれに良さ
すみ分けが
ポイント

三菱鉛筆
表現ツールとして
ペンにはまだまだ
可能性がある!
創造には
欠かせない!!

セーラー万年筆
書き方のクセ
好きな色
手間を楽しむ
万年筆やインクは
「その人らしさ」を
大事にできるツール

はじめに

「文房具とは何か」を考えるときにまず思い浮かぶのが、中国の「文房四《ぶんぼうし》宝《ほう》」という言葉です。もともと中国で「文房」とは文人の書斎やそこで使う道具のことを指し、特に大切な4つの道具「筆」「墨」「紙」「硯《すずり》」のことを「文房四宝」と呼びました。これを現代に置き換えるならば、さしずめ鉛筆と消しゴム、ボールペン、ノートといったところでしょうか。ともかくこれが「文房具」という言葉の由来であるといわれています。

ただ、実際の「文房具」という言葉の定義は、なかなかに難しいものです。今の時代、文房具メーカーのカタログをめくれば数万点の製品が掲載されており、なかには「これは文房具？」と首をかしげてしまうようなものも含まれています。一方で文房具を使う場所としての「文房」も書斎のみならず、学校やオフィス、工場、屋外の現場など実にさまざま。

そう考えると、文房具とは、学校や職場で用いられ、(当たり前の話ではありますが)文房具屋さんで売っている道具——というくらいの括りしかできない気がします。

現在使われている文房具の多くは、ヨーロッパやアメリカで誕生したものです。しかし、創意工夫が得意で生真面目な日本人によって、より使いやすく改良され、高品質になった文房具が、たくさん世に送り出されてきました。今や日本の文房具の品質は、どれをとっても世界最高水準にあるといえるでしょう。また、世界の誰もが考えつかない画期的な機能や用途の製品が雨後の筍のごとく生み出され、ただ便利なだけではない〝楽しい〟文房具をこれほど目にできるのは、日本独特の文化かもしれません。日本の文房具文化は今、隆盛を極めているといっていいでしょう。

この本では、そんな〝文房具大国ニッポン〟で私たちがふだん何気なく使っている文房具、25ジャンルについてお話しをさせていただきます。

定番、ロングセラー、話題の新商品――登場する文房具たちの大部分は、特に珍しいものでも、高級品でもありません。巷の文房具屋さんに行けば、手頃な値段で手に入れられるものがほとんどでしょう。しかし、これらの文房具どれもが技術の粋を集めて作られたものであり、そこに得もいわれぬ魅力を感じるのです。本編では、ほんの一部ではありますが、私たちになじみ深い文房具の生い立ちや仕組み、使いやすさの理由、そしてぜひ使っていただきたい逸品の数々を、図解を交えて紹介します。

本書が、あなた自身の「文房四宝」を選ぶ一助になれば幸いです。

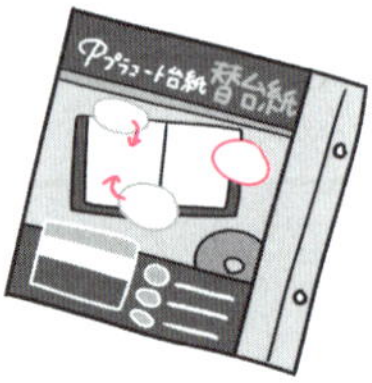

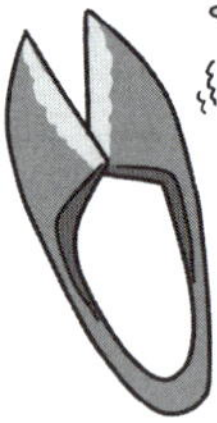

増補改訂版によせて

本書の初版が発売されたのが２０１８年６月。それからおおよそ７年が経ちましたが、その間世の中ではさまざまな出来事が起こり、私たちの生活のに少なからず影響を与えてきました。

その最たる出来事が、２０１９年末から広がった新型コロナウイルス、俗に言う「コロナ禍」でしょう。外出自粛やお店・施設の休業が続いたことで、私たちの暮らしや働き方はガラリと変化しました。インターネットやパソコンを活用したＩＣＴ（情報通信技術）が一気に広がり、会社に行かなくても自宅で仕事ができる「テレワーク」や、ネットショッピング、オンラインでの手続きなどがすっかり当たり前のものになりました。

また、以前から重視されてきたエコロジー（自然環境保全）への意識がさらに高まり、地球にやさしく、人にもやさしくあるための「ＳＤＧｓ（持続可能な開発目標）」が掲げられる時代になりました。性別、国籍、人種、年齢、障がいの有無、価値観などの違い、いわゆる「ダイバーシティ（多様性）」を受け入れましょう、という考え方もその一環です。

文房具は私たちの生活にとって身近な存在ですが、そんな文房具の世界も時代の変化とは無縁ではありません。この7年の間で、少子化やパソコンの普及によって需要が減ったと言われていますが、お店に行けば今の時代に合った文房具がたくさん並んでいます。

いくらICT化が進んでも、やはり文房具は仕事や生活の必需品。場所を選ばないテレワークや、今やすっかり定着したオンライン会議で便利な文房具、およびその周辺グッズがお目見えしています。また、エコロジーや多様性などSDGsをコンセプトに開発された文房具も増えてきました。環境や人にやさしいのはもちろん、使いやすさにもこだわったアイテムがそろっているのがうれしいところです。

今回の改訂にあたっては、これまでの定番商品、人気商品に加え、前述のような時代の変化に伴って登場した文房具を数多く紹介しています（P・172〜P・187「chapter 5　働く。暮らす。」）。さらには、定番文房具の歴史、現状、そしてこれからを文房具メーカーに尋ねた巻頭カラー記事「メーカー訪問記」（P・2〜P・15）を追加するなど盛りだくさんの内容になっています。

今の時代に合わせてアップデートされた『文房具の解剖図鑑』を、ぜひお楽しみください。

2025年6月

Contents

※本書の内容は、執筆時点（2025年5月）の情報に基づいて制作されています。これ以降にメーカー名、製品名、製品デザインが変更されている可能性がありますが予めご了承ください。

デザイン●長 健司（KINDS ART ASSOCIATES）
イラスト●ヨシムラ マリ
編集協力●豊岡 昭彦（TOY's HOUSE）
印刷●TOPPANクロレ株式会社

chapter 1

書く。描く。消す。

【鉛筆】

Pencil

イメージを、
カタチに。
はじまりの筆記具。

鉛筆発祥は羊飼いのお手柄

羊飼いが黒鉛を発見！　そして鉛筆の誕生

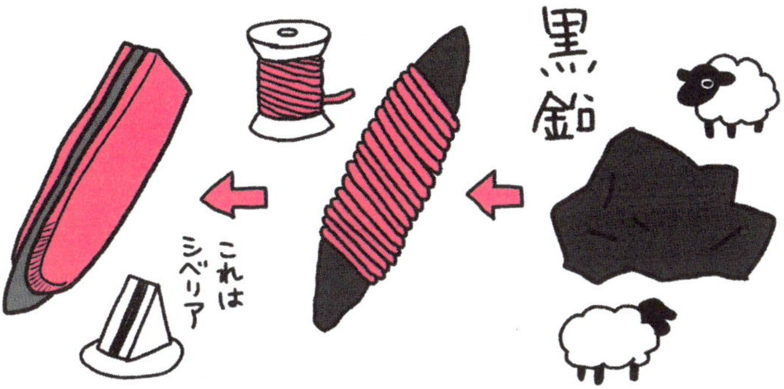

鉛筆の歴史は、1560年代にイギリスで始まりました。リバプールの北にあるボローデール渓谷で、羊飼いが良質の黒鉛（graphite）の結晶を発見。この黒鉛の結晶を紙で包んだり、紐で巻いたりして筆記具として用いました。その後、木の板の先に黒鉛を取り付けた〝鉛筆〟が生産されました。鉱山が枯渇すると、黒鉛と粘土を混ぜた〝芯〟が発明され、木材の間に芯を挟んだ、今日同様の鉛筆が生まれました。

日本最古の鉛筆オーナーは家康公

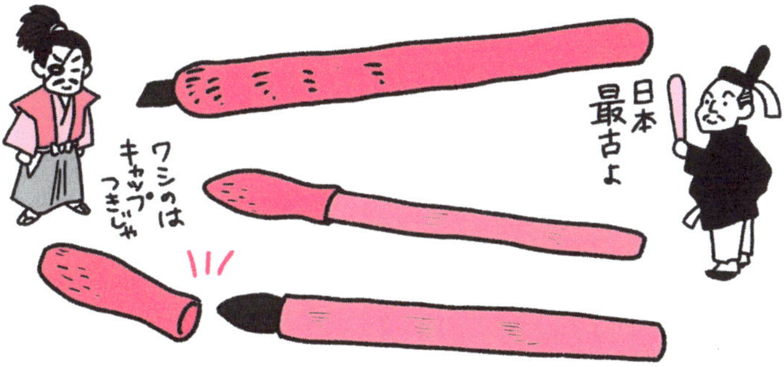

日本に鉛筆が渡来したのは戦国時代末期、オランダ人から徳川家康に献上されたのが最初と伝えられています。この日本最古の鉛筆は現在、家康の遺品として久能山東照宮博物館に保存されています。同時代の武将・伊達政宗の遺品の中からも当時の鉛筆（しかもキャップ付き！）が見つかっています。

国産の鉛筆も材料はすべて輸入品

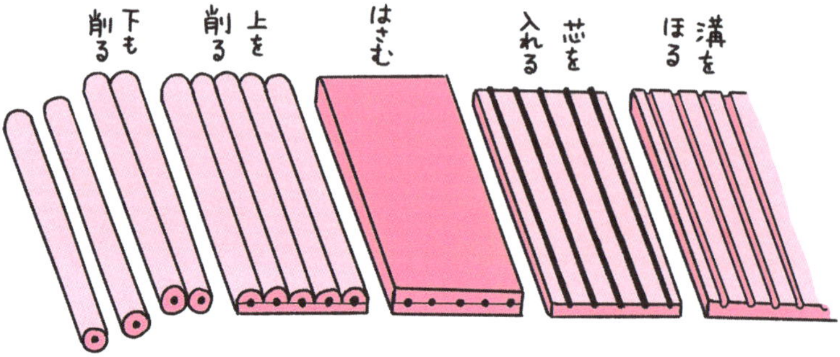

鉛筆の芯は、黒鉛と粘土を混ぜ合わせ、円形に押し出したものを焼きかためて作ります。黒鉛は石炭などの仲間で、主に中国から輸入、粘土はドイツ産を使用しています。鉛筆の木材は、北米産のインセンスシダーを使用、インセンスシダーはヒノキの仲間なのでいい匂いがします。溝を掘った木材に芯を挟み、六角形になるように切り離して塗装すれば、鉛筆の完成です。

紙に書けるメカニズム

鉛筆で紙に書くということは、鉛筆の芯で紙の上を強くこすること。このとき、紙表面の凸凹で鉛筆の芯が砕け、黒鉛の粉が紙にくっつくのです。鉛筆で書いた文字を顕微鏡で見ると、紙の上に細かい黒鉛の粉が並んでいることがわかります。

書くとき〝和食〟、描くとき〝洋食〟

文字を書くときはお箸を持つように

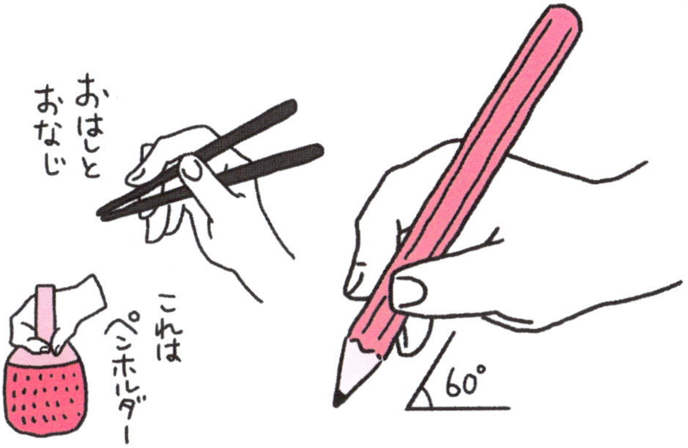

鉛筆は、人によっていろいろな持ち方がありますが、「正しい持ち方」も知っておきましょう。鉛筆を正しく持てば疲れにくくなります。 ①人差し指、親指、中指の 3 本の指で鉛筆を持ちます。このとき、親指は人差し指より少し後ろに置きます。 ②紙に対し、鉛筆の角度はほぼ 60 度に。 ③鉛筆を動かすときは、人差し指をメインに、親指を添えて動かします。これは箸や卓球のラケットの持ち方と同じです。

絵を描くときはナイフを持つように

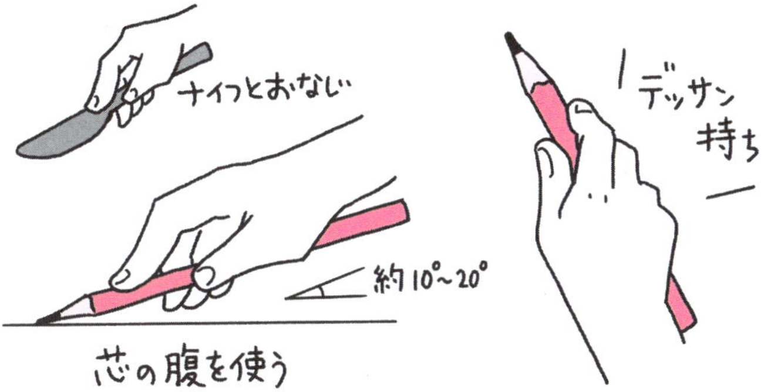

もう 1 つの鉛筆の持ち方がデッサン持ち。こちらはナイフを持つときと同じ持ち方です。手のひらで鉛筆を持ち、人差し指を添え、鉛筆の芯の腹で太い線を描いていきます。文字を書くときとの大きな違いは、筆圧をかけすぎず、強弱をコントロールして描くことです。

〈〝芯〟の通った硬さの話〉

Hard の反対は Soft…じゃない？

芯の硬さは、黒鉛と粘土の比率によって決まります。硬さを表すのが、HB、2B、4H などの記号。日本では、日本産業規格（JIS）で、9H から 6B までの 17 種類が規定されています。H は「Hard（硬い）」の略で主に製図用、B は「Black（黒い）」の略で絵画用、その中間が「HB」、さらに「H」と「HB」の中間に「F（Firm = しっかりした）」があります。Hard の反対が Black なのは、19 世紀にロンドンのブルックマンという鉛筆メーカーが決めたなごりです。なお、三菱鉛筆「ハイユニ」には、JIS 規格を超える 10H から 10B までの硬度が揃っています。

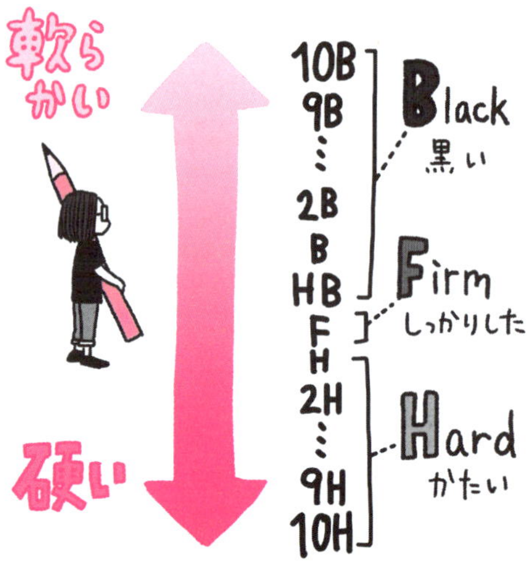

六角形の理由は持ちやすさと…

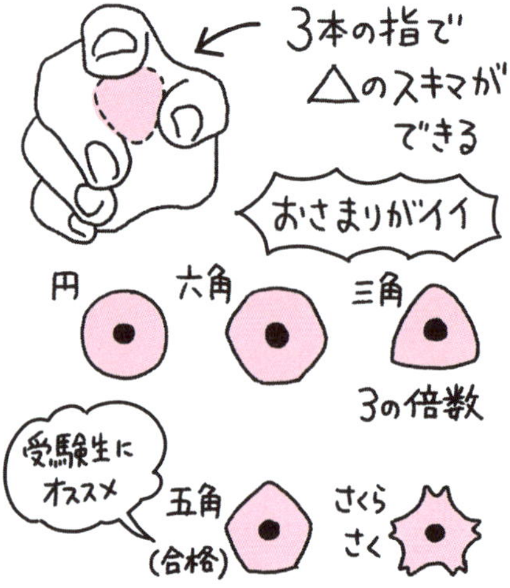

鉛筆は 3 本の指で持つため、断面は 3 の倍数の三角形や六角形が持ちやすいとされています。ただし、製造のしやすさから、実務用は圧倒的に六角形が主流。

ちなみに製造に手間がかかるためちょっとお高めになりますが、五角形もあります。「ごかく→合格」の語呂合わせから受験生に人気。意外に持ちやすいのでお試しあれ。

いつまでも尖っていたい

小刀を使って自分好みに削る

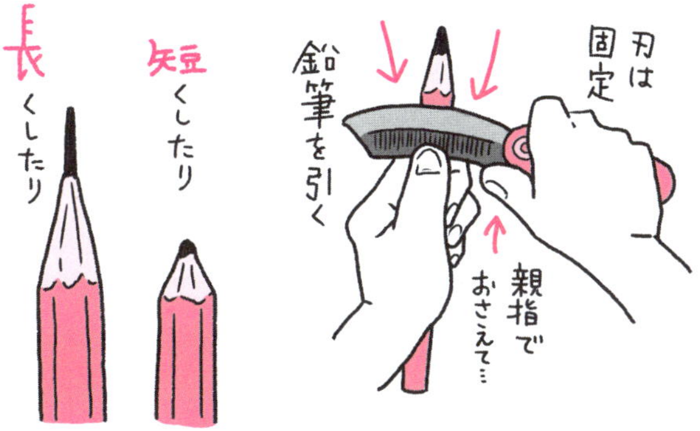

1950年代（昭和30年代）までは、鉛筆はカミソリや小刀で削るのが一般的でした。しかし、1960年（昭和35年）10月に起きた浅沼稲次郎日本社会党委員長の刺殺事件で、犯人の少年が小刀を使ったことから、以降は鉛筆削りが推奨されるようになりました。鉛筆削りは確かに安全で便利ですが、芯の長さや太さを自分好みに削るのも愛着が湧いていいものです。小刀で削るコツは、刃を固定し、鉛筆のほうを手前に引くように動かして削ることです。

大事な〝芯〟を守る鉛筆キャップ

せっかく削った鉛筆の芯が筆箱の中で折れてしまったらショック！　そこで考えられたのが、芯を守る鉛筆キャップ。オールドファンにはアルミや真鍮のキャップがおなじみでしょうが、今はプラスチックを使ったカラフルなものも揃っています。

鉛筆ホルダーで短い鉛筆を持ちやすく

短くなった鉛筆を先端に挟んで快適に使えるようにするツールが「鉛筆ホルダー」。「鉛筆補助軸」「ペンシルエクステンダー」ともいいます。以前は真鍮製のものが一般的でしたが、今は持ちやすいプラスチック製やラバー塗装のものが主流。万年筆を模した高級感のある製品もあります。

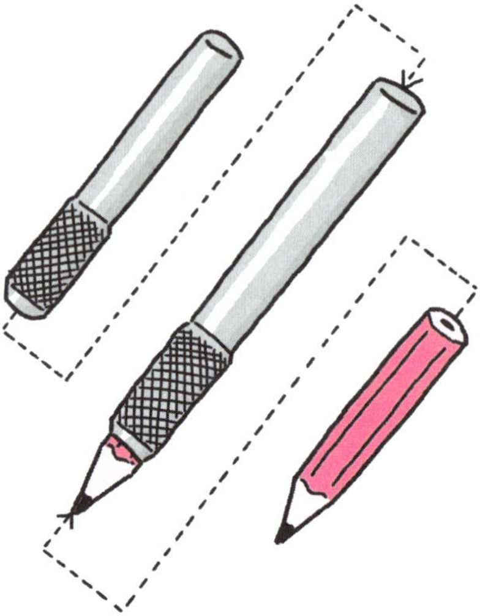

チビもつなげば長くなる

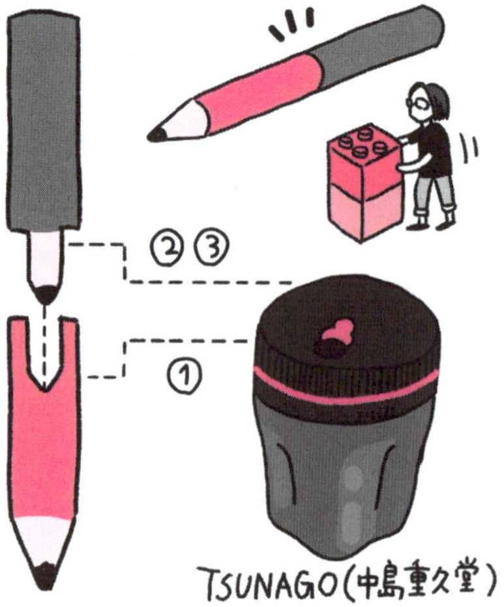

短くなった鉛筆をリサイクルできる便利な道具が鉛筆削りメーカーの老舗・中島重久堂の「TSUNAGO」。
TSUNAGOには、3つの穴があり、鉛筆を差し込んで回転させると、凸型の先端と、凹型の穴を作ることができます。これにより短くなった鉛筆の頭をもう一本の鉛筆のお尻につないで、長い鉛筆として使えます。

あなたと一〝芯〟同体の鉛筆選び

小学１年生には「低学年用かきかたえんぴつ」

昭和の時代には鉛筆といえば「HB」が主流でしたが、令和の小学生は「2B」がスタンダード。「かきかたえんぴつ」「こどもえんぴつ」という名称で、各社から発売されています。断面は六角形以外にも、持ちやすい三角形のものがあります。

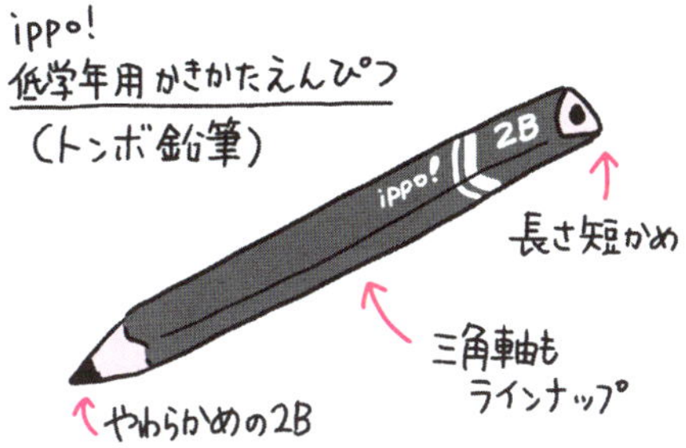

製図向けには「ハイユニ」「マルス ルモグラフ」

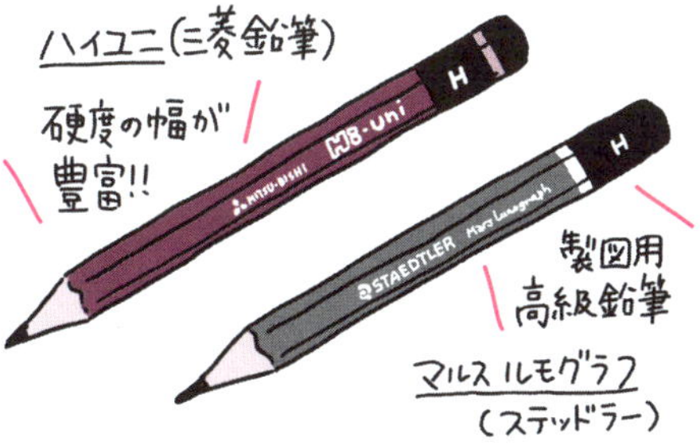

製図など細い線を正確に書くには硬めの鉛筆が最適。中でも「H」から「10H」までの豊富な品揃えの三菱鉛筆「ハイユニ」や、ステッドラーの「マルス ルモグラフ」がおすすめ。ステッドラーはドイツのメーカーで、芯の硬度が日本の規格とは異なるため、購入の際は試し書きが必要です。

大谷翔平もかなわない？「パーフェクトペンシル」

二刀流の大谷翔平を超える三刀流、書く・消す・削るを一本でできるのが「パーフェクトペンシル」。ドイツの名門ファーバーカステルの製品です。
キャップも兼ねたエクステンダーの中に、鉛筆削りを内蔵。消しゴムや鉛筆削りなど個々の機能を見れば日本製のほうが優れているかもしれませんが、その世界観に惚れたら「買い」です。

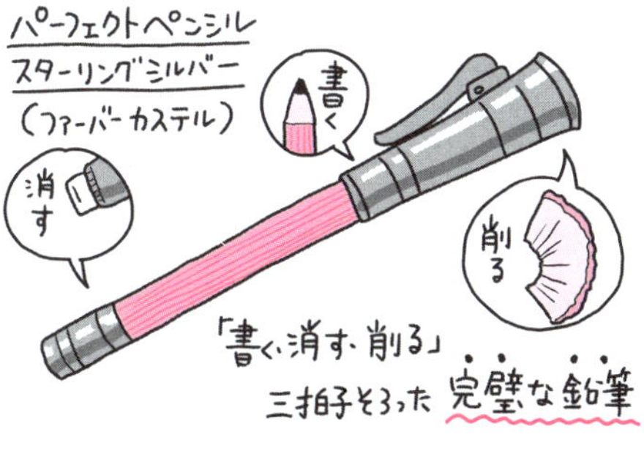

かよわき芯を守るための〝丸形〟

なぜ、色鉛筆は丸形がほとんどなのでしょうか？
黒鉛筆の芯は粘土を混ぜて焼き固めますが、色鉛筆は焼き固めないため、柔らかく強度的に不安があります。そのため芯を太くして、六角形よりも力のかかり方が一定で折れにくい丸形にしています。ただ、現在では芯の強度を高める技術が進み、丸以外の形の色鉛筆も目にするようになりました。

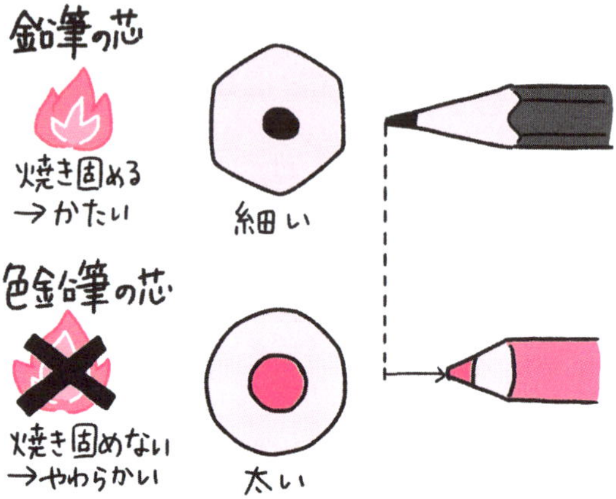

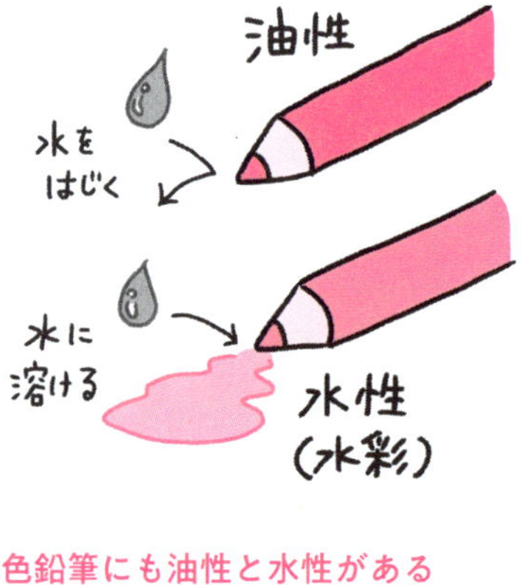

色鉛筆にも油性と水性がある

一般的な色鉛筆は油性ですが、水で溶かすことができる水性のものもあります。水性色鉛筆（水彩色鉛筆）は、色を塗ってから水筆でなぞると水彩画のようなタッチになります。

赤青色鉛筆、さてその割合は？

採点などに使用される赤青の色鉛筆には、赤青の比率が「5：5」のほか、よく使用する赤の分量が多い「7：3」のものがあります。

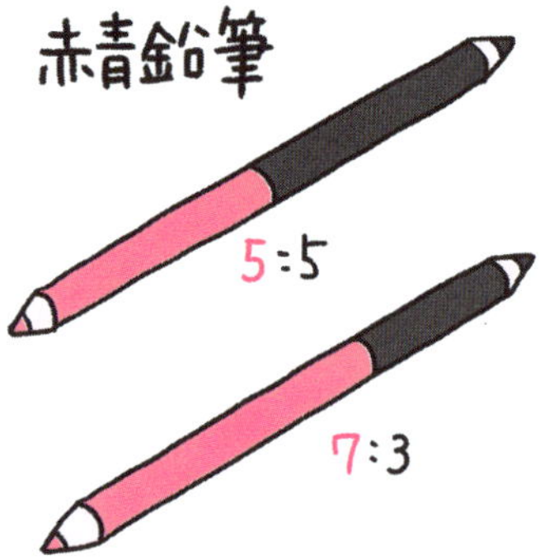

一皮むけば芯が出てくる

色鉛筆の一種で、糸を引いて紙をむくことで簡単に芯が出せるのが「ダーマトグラフ」。一昔前までは、試験の採点用としてよく用いられていました。
つるつるした面、例えばフィルム袋などにも書けるため、以前は印刷・出版業界の必需品でしたが、デジタルカメラが主流になった最近ではあまり使われなくなりました。

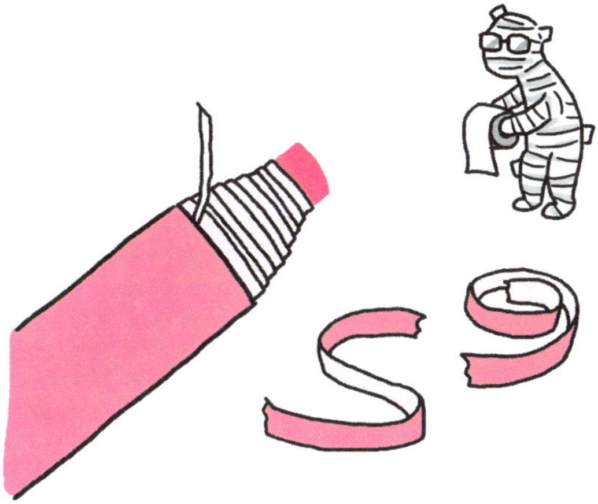

column

芸術家気分を味わえる「大人向けの塗り絵」

一から絵を描くのが苦手でも、彩色するだけで手軽に芸術家気分を味わえるのが「大人向けの塗り絵」。簡単なものからかなり細かなものまで、またモチーフの種類もさまざまです。油性色鉛筆、水彩色鉛筆、クレパス、水彩絵の具などを使い分けるのもおすすめです。

「遊星ギア」ってなんかかっこいい！

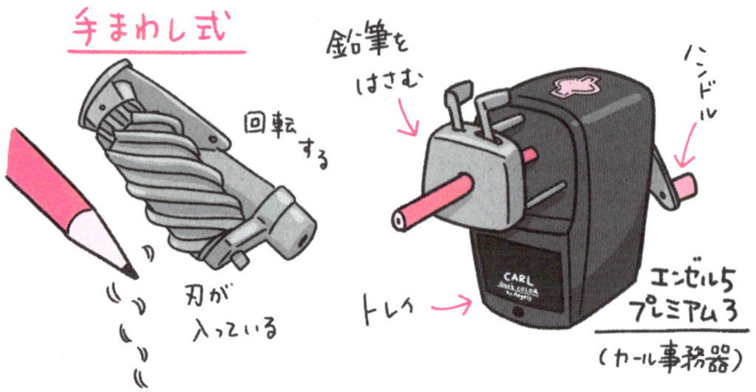

鉛筆削りの定番といえば、手回し式（手動式）。その構造は「遊星ギア」（大きな歯車の内側を小さい歯車が回る）という仕組みで、斜めのミゾのついた円柱形の刃物が鉛筆の周りを回転しながら削ります。短くなると削りにくくなることもありますが、容易に鉛筆が削れます。

電動モーターのおかげでラクラク鉛筆削り

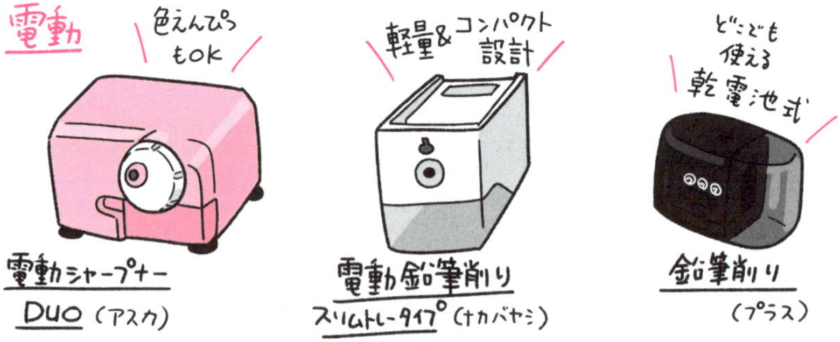

電動式は、手動式の回転を電動モーターでサポートする仕組みです。モーターが搭載されているため手動式に比べると本体サイズが大きめです。穴に鉛筆を差し込むと自動的に運転を開始しますが、子どもが誤って指を入れると危険なため、最近のものには誤作動防止機能が搭載されています。

削りカスすら美しい、鉛筆削り器の最高峰

鉛筆を差し込み、回転させて削る、一枚刃の「鉛筆削り器」は、筆箱に入れて持ち歩けるのが便利です。
中島重久堂の鉛筆削りは、なめらかな削り味で芯がきれいに尖る、世界に誇る逸品です。

「ひねって削る」が新しい

鉛筆を回転させずに、左右交互にひねることで削るのが、ソニックの「ラチェッタ ワン ハンディ鉛筆削り」。回転式より楽に、より素早く削れます。鉛筆を挿すと自動で開き、抜くと閉じるシャッター機構を備えています。

ペットボトルが鉛筆削りに大変身

シヤチハタの「ケズリキャップ」は、飲み終わったペットボトルを再活用する鉛筆削り。削りくずをペットボトルに大量に貯めて、一気に捨てられるのが特長。ただし、そのままペットボトルの回収に出さないように気をつけましょう。

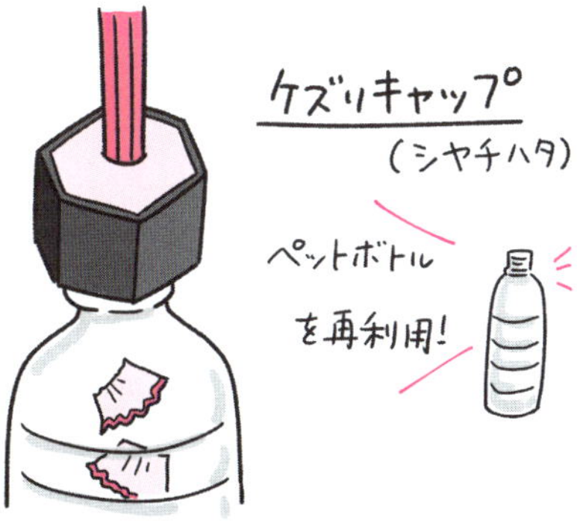

【ボールペン】

……… Ballpoint pen

白黒ハッキリ。
思考もクッキリ。

仕事の相棒。

誕生のきっかけは新聞用インク

乾きやすいインクがあったからこそ

ペン先をボールにするアイデアは1880年代からありましたが、インクがペン先から垂れてしまい、実用化できませんでした。初めて実用化されたのは、1938年。ハンガリーのラディスラオ・ビロが速く乾く新聞用インクに着目。万年筆に利用しようと考えましたが、万年筆のペン先までインクが伝わらずに失敗。しかし、これをボールペンに転用し、ボールペンの原型を開発しました。

日本に初めて持ち込んだのは進駐軍

アルゼンチンに移民したビロは、1943年にボールペンを製品化、瞬く間に世界中に普及します。1945年（昭和20年）には進駐軍がボールペンを日本に持ち込みました。
その後、世界的大ヒットになったのはフランスのBICのボールペン（1950年発売）で、「BICクリスタル」は低価格ボールペンの代名詞になりました。

3大構造「キャップ」「ノック」「ツイスト」

ベーシックな構造のキャップ式

最もベーシックな構造はキャップ式です。キャップには、ペン先が他のものに触れるのを防ぐとともに、インクの乾燥も防ぎます。一方で、キャップを外す一手間が面倒であること、キャップをなくすなどのマイナス面もあります。

1クリックで出し入れメカニカルなノック式

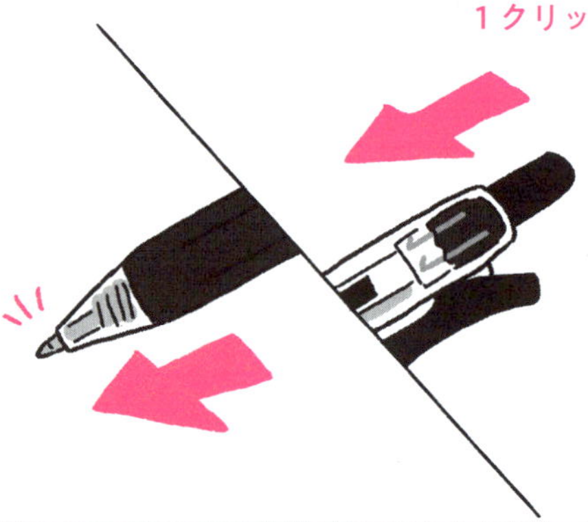

キャップ式の煩雑さを解決したのがノック式です。ボールペンのお尻のノック棒を押すとペン先が出て、(多くの場合) もう1度押すとペン先が引っ込む構造になっています。

高級ボールペンに多いツイスト式

ボールペンの一部を回転させることで、芯を出し入れするのがツイスト式です。ボールペンが発明された初期から存在する構造で、高級ボールペンに多く採用されています。

「水」と「油」の関係

古くて新しい油性ボールペン

ボールペンのインクは、溶剤、色素、添加物などから成り立っていますが、溶剤が油性のものが「油性ボールペン」です。油性のインクは粘度が高く、乾きやすいのが特長。世界初のボールペンも油性でしたし、現在もボールペンの主流です。
最近のヒット商品といえば、三菱鉛筆の「ジェットストリーム」。滑らかな書き味に加え、速乾性で汚れにくく、インクの濃さでも高評価を得ました。

書き味滑らかな水性が一世を風靡

インクの溶剤が水性のものが「水性ボールペン」です。1964年（昭和39年）に日本のオートが世界で初めて開発。その後、1972年（昭和47年）にぺんてるがペン先に樹脂製のチップを使った「ボールPentel」を発売。書き味が油性よりも滑らかという理由で大ヒットしました。また、同社がつくった高級水性ボールペン「ローリングライター」が海外で話題に。1979年（昭和54年）の東京サミットで公式筆記具となりました。

書き味よく乾きも早い「ゲルインク」

書き味のよさが評判となった水性ボールペンですが、インクの乾きが遅い難点がありました。これを解決したのが「ゲルインク」。
「ゲル」とはゼリー状という意味で、リフィルの中にあるときは高粘度のゲル状ですが、ペン先のボールが回転するとゾル状（液体）に変わり、紙に付着すると再びゲル状に変化（チキソトロピー現象）します。

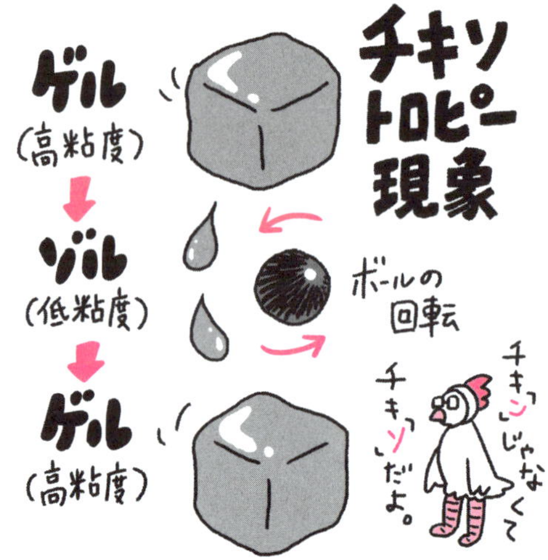

ボールペンの覇権を争う「油性」と「ゲル」

1982年（昭和57年）に、サクラクレパスが世界初のゲルインクボールペン「ボールサイン」を発売。これが大ヒットし、他社も追随しました。これに対抗するように2006年（平成18年）、三菱鉛筆が書き味を改良した油性ボールペン「ジェットストリーム」を発売し、こちらもヒット。
現在は、「ゲル」と「油性」が書き味で競争する時代に突入しています。

誰にも消したいインクや過去がある

書いて消せるボールペン革命

2007年（平成19年）、パイロットコーポレーション（以下、パイロット）が発売した画期的な〝消せるボールペン〟が「フリクションボール」です。
ペンのお尻に付いたラバーでこすると摩擦熱（60～65℃）で筆跡を消すことができます。これは、高温になると色が消える「メタモカラー」の機能を進化させ、－20℃～65℃に対応した「フリクションインキ」を搭載したもの。消えた筆跡は、零下10～20℃に晒すと復元されます。

高温が大敵！ 保存場所にはご注意を

フリクションボールで書いたノートを高温の車のダッシュボードに放置していたら、記述内容がすべて消えてしまった、といった失敗談も少なくありません。
消えたインクを復元するにはコールドスプレーをかけたり、冷凍庫へ入れるなどして冷却すれば、再び筆跡が現れます。このような特性上、証書類・宛名書きには使用できないので注意しましょう。

1本二役、三役、四役の多色ボールペン

ボールペンは芯が細いため、多色の芯を1つのボディに収納できます。2〜4色のボールペンが一般的ですが、ボールペンとシャープペンシルを1本に収めた「シャーボ」（ゼブラ）のような製品もあります。
最近では、パイロットの「ハイテックCコレト」をはじめ、芯の色を自分で選んで組み合わせられるタイプが女子中高生を中心に人気です。

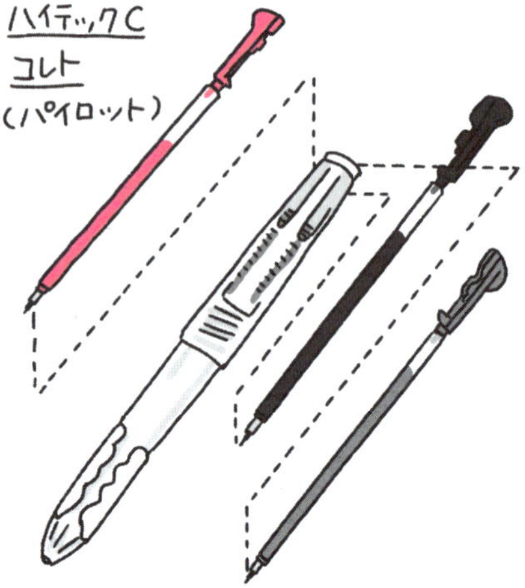

行こうぜ、ボールペンの向こうへ インジェニュイティ 5th

ペン先はボールではありませんが、インクの進化により生まれた最先端のペン、という意味でここで紹介したいのが、パーカーの「インジェニュイティ 5th」です。「第5の筆記具」と謳われ、従来の筆記具では例えようのない、滑らかな書き心地を実現した逸品です（イラストは、2011年発売の「ブラックラバー＆メタル」モデル）。

「水」と「油」のいいとこ取り エマルジョンインク

ゲルインクをさらに進化させたのが、ゼブラが開発した「エマルジョンインク（油中水滴型インク）」。油性と水性のインクが「7：3」の割合で混ぜられているため、油性と水性の特性、書きやすさと乾きやすさを併せ持つボールペンです。

インクが付いても慌てず騒がず

やっかいな油性インクの落とし方

ボールペンのインクが、手に付いてしまうことがありますが、油性だと水で洗ってもなかなか落ちません。そんなときは、石鹸を用いてぬるま湯で洗うのが効果的です。

インクもマニキュアも落としてスッキリ

衣類に油性インクが付いてしまった…。そんなとき、マニキュア用の除光液か、消毒用エタノールが有効です。これ以上インクが広がらないように当て布をして裏から叩くように押さえます。ただし、薄くはなっても、完全に落とすことは難しいので注意しましょう。
ゲルインクの場合は、中性洗剤で洗うと効果的です。

【シャープペンシル】

Mechanical pencil

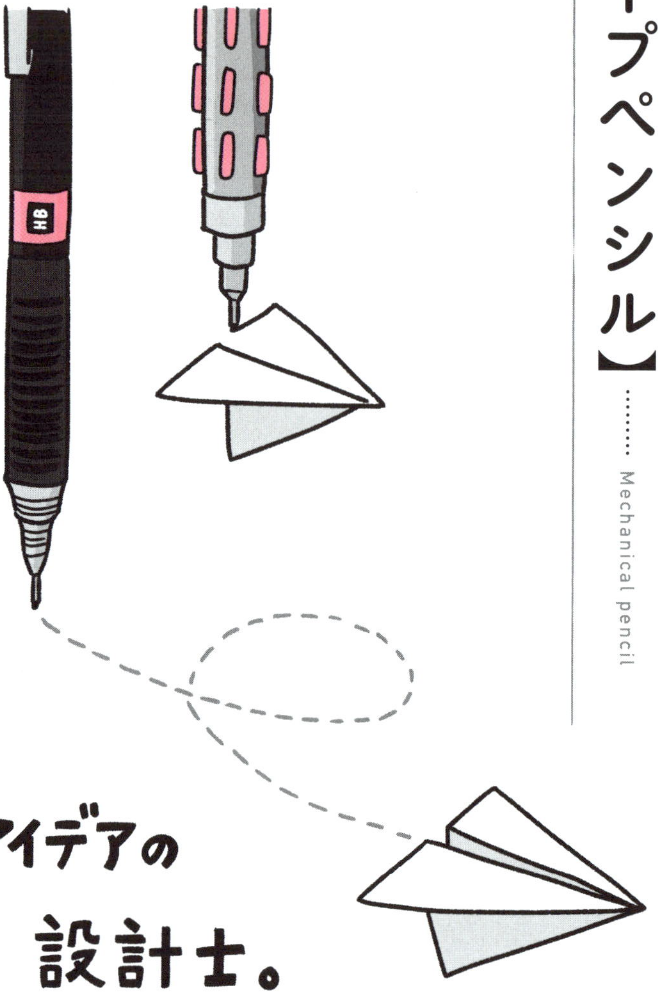

アイデアの
設計士。

目の付けどころがシャープでしょ

シャープペンシルはアメリカ生まれ

シャープペンシルの元祖は、1822年にイギリスのホーキンスとモーダンが共同で特許を得た「繰り出し式」（回転させることで芯が出る）の鉛筆といわれていますが、商品化はされなかったようです。
その後、1837年にアメリカのキーランが繰り出し型の製品「エバーシャープ（EVER SHARP)」を販売。これが世界初のシャープペンシルといわれています。

日本の生みの親はシャープ創業者

日本では、1915年（大正4年）に大手家電メーカーのシャープの創業者、早川徳次が金属製の繰出式シャープペンシルを発明し、「エバー・レディ・シャープ・ペンシル」と命名したのが最初です。早川はのちに大阪で家電メーカーを創業、社名を「シャープ」としました。現在のようなノック式のシャープペンシルは、1960年（昭和35年）に大日本文具（現在のぺんてる）が開発。当時は芯を細くすることが難しく、芯の太さが0.9mmもあったため、芯の先を削って使用していました。

開く、進む、つかむ、出る、開く、進む、つか…（略）

ノック式では、ペンの尻をノックすると芯をはさむチャックが開き、芯が前進します。ノックを放すと芯をその位置に残したままチャックだけが上に戻り、芯の後方をつかみます。これをくり返すことで、芯が少しずつペン先から出てくるという仕組みです。

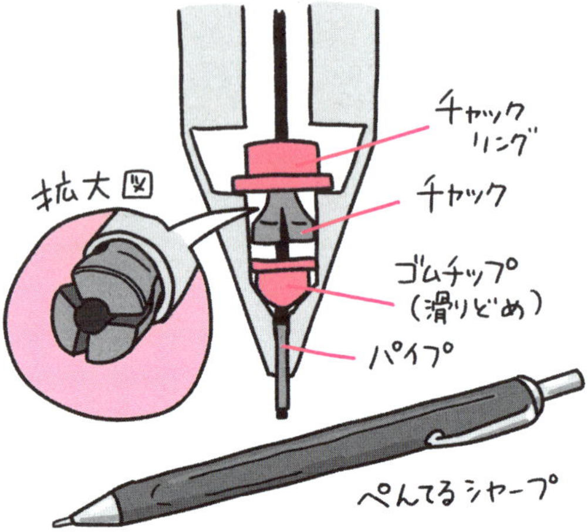

持ち替え要らず、手間要らず

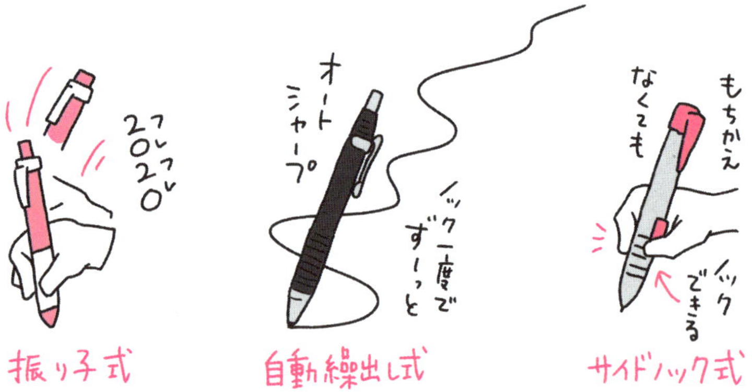

芯を出すためノックするときにペンを持ち替えますが、この動作は案外面倒。そんなふうに感じている人は、ペンの横にノックがある「サイドノック式」、１回ノックしたらあとは自動的に芯が出る「自動繰り出し式」、ペンを振ると芯が出る「振り子式」など、持ち替え不要のシャーペンを一度お試しあれ。

〈芯の強さが違います〉

強さの決め手は〝プラスチック〟

鉛筆の芯は、黒鉛と粘土を焼き固めて作りますが、シャープペンシルの芯は粘土の代わりにプラスチックを使っています。これによって、0.3mm や 0.5mm などの細さでも折れにくい強度が得られるのです。

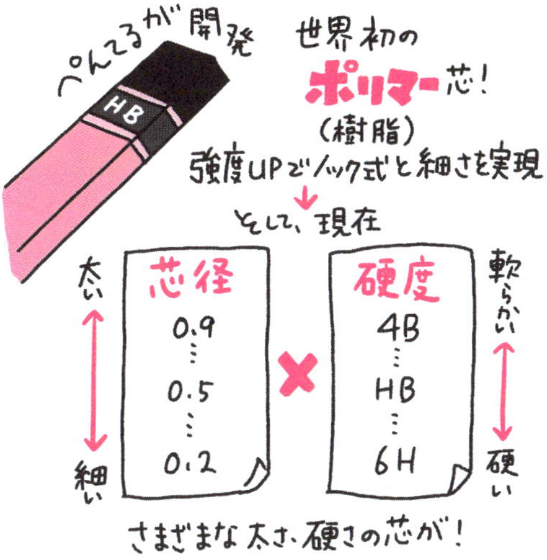

書き味違えど硬さは同じ

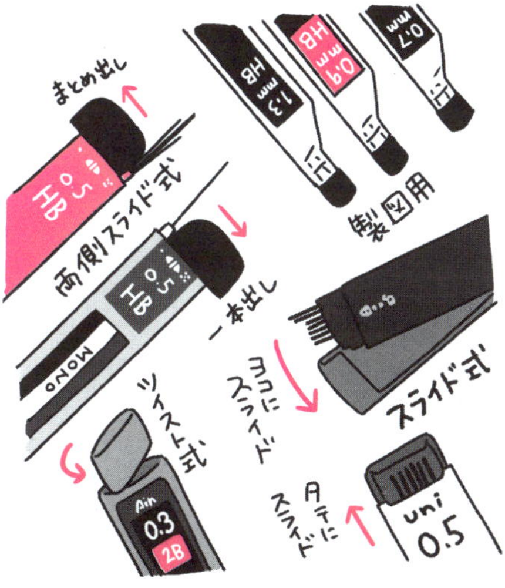

シャープペンシルの芯は、各社から発売されています。硬度が同じでもそれぞれ書き心地は微妙に違うので、試し書きは必須。また、芯ケースも、取り出しや補充のしやすさに各々工夫が見られます。
コスパも気になる普段使いなら、ぺんてるの「アイン替芯シュタイン」、三菱鉛筆の「ユニ」などが筆者のおすすめです。

この太さには理由（わけ）がある

パイロットの「ドクターグリップ」シリーズは、人間工学に基づき、筆記時に肩や腕の筋肉にかかる負担を軽減する軸の太さを研究、楽に握れる太さと形状を実現しました。長時間、筆記作業を行う人におすすめです（イラストは、1992年発売時のモデル）。

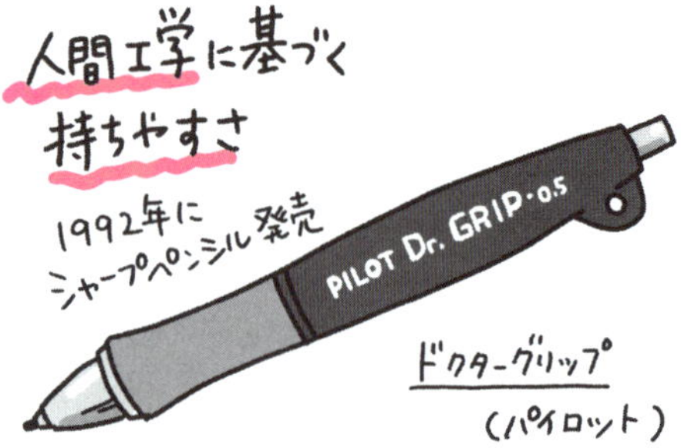

見た目は鉛筆、実はシャーペン

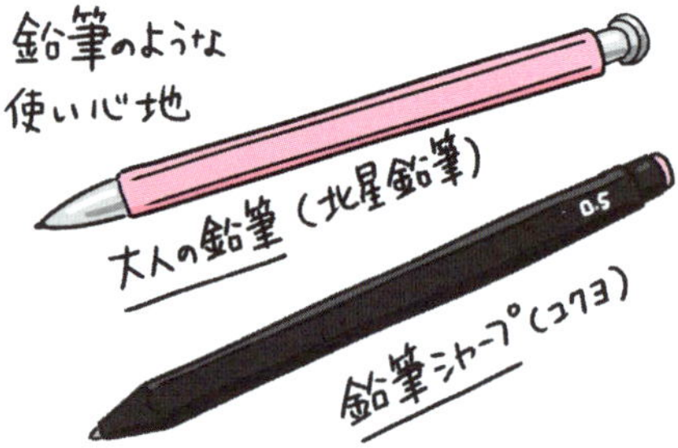

持ち慣れた鉛筆とほとんど同じ太さで、形状も鉛筆に似せてあるのが北星鉛筆の「大人の鉛筆」と、コクヨの「鉛筆シャープ」。「大人の鉛筆」は2mmの芯を使用し、付属の「芯削り」で芯を削って使います。「鉛筆シャープ」は、芯の太さを0.3mm、0.5mm、0.7mm、0.9mm、1.3mmから選べます。

クルッと回転して常にトガる！

三菱鉛筆の「クルトガ」シリーズは、芯を紙から離した瞬間に芯が少し回転する機構を採用。芯先の一面だけが削れることなく、まんべんなく摩耗するため、芯先が尖った形状になります。芯の中心部が周囲よりも硬いため尖りやすくなっている、専用の替え芯も発売されています。

筆圧を逃がすから芯が折れにくい

芯が折れにくい機構を採用して人気なのが、ゼブラの「デルガード」シリーズ。芯先にかかる筆圧をスプリングで上手に逃がすことによって芯折れを防ぎます。さらに、短い芯でも詰まることがないように工夫されています（イラストは2014年発売時のモデル）。

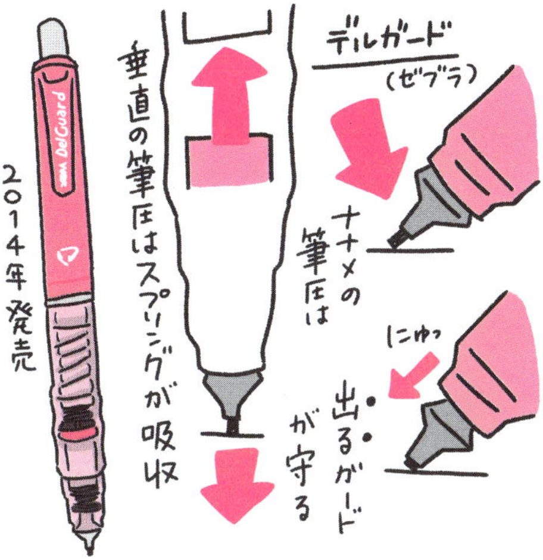

パイプが芯を守る。ノック不要も画期的

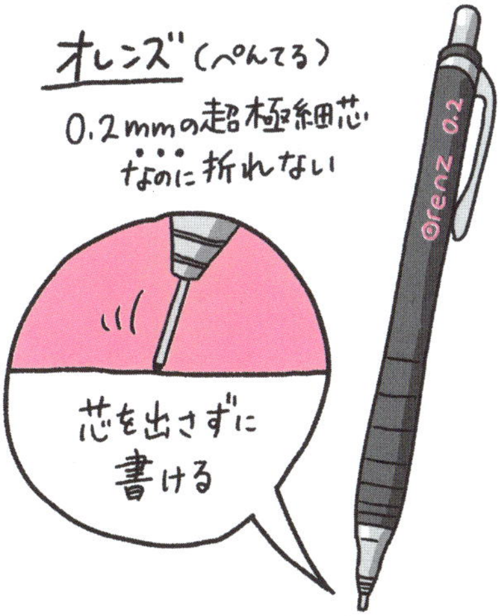

ぺんてるの「オレンズ」は、金属のパイプが芯をサポートして、芯折れを防ぐ方式。芯の減りに合わせてパイプがスライドします。
さらに、自動芯出し機構を採用したのが「オレンズネロ」。芯先が紙から離れると芯が送り出されるため、芯がなくなるまでノックなしで書き続けることができる優れもの。

【万年筆】

……… Fountainpen

書くことの
快感を
呼び覚ます。

鶴は千年、ペンは万年？

万年筆のルーツは古代エジプト文明にあり

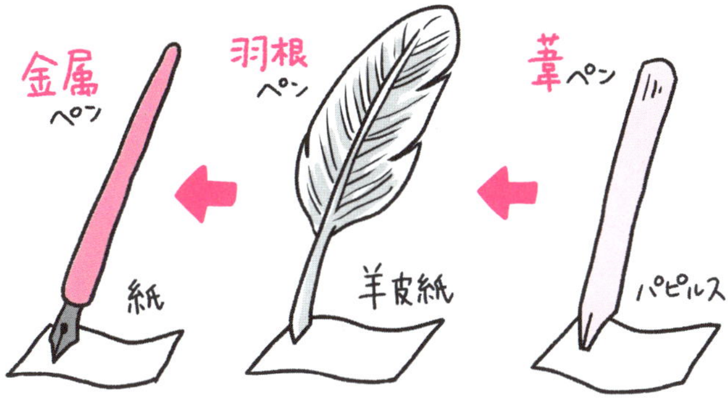

ペン先にインクをつけて書くという「つけペン」の歴史は古く、紀元前 2400 年頃のものと思われる葦（あし）の先端を 2 つに割った葦ペンが、古代エジプト文明の遺跡で発見されています。6 世紀頃にはヨーロッパで羽根ペンが誕生。1780 年にイギリスのサムエル・ハリスンが鋼鉄板を筒状に丸め、先端を 2 つに割った金属製のペン先を発明しました。

インク切れを克服！　長時間使用が可能に

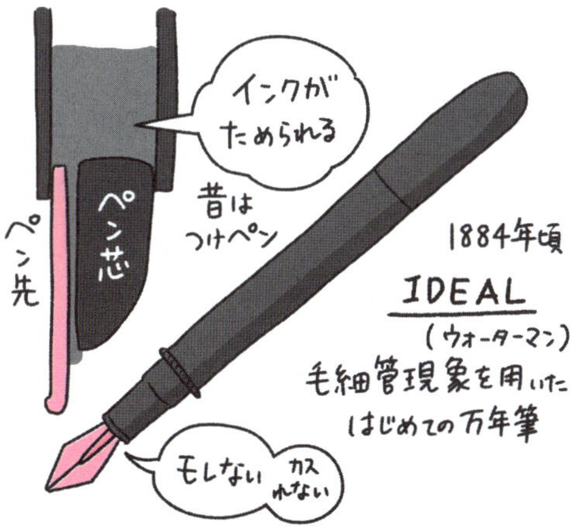

つけペンは、すぐにインクが切れます。そこで 1809 年頃に、ペン軸内にインクを貯める構造がイギリスで考案されました。これが万年筆の始まり。

現在のような毛細管現象を応用したものは 1884 年、アメリカのルイス・エドソン・ウォーターマンが発明。和名の「万年筆」は、インクが万年、つまり長時間出続けることから命名されました。

古きよき万年筆の味わい「吸入式」

万年筆のインクの補充方法には、吸入式とカートリッジ式の2種類があります。
吸入式はペン先からボトルインクを吸い上げる方式。回転吸入式、プランジャー式、バネ式、アイドロッパー式など、さまざまな方法がありますが、現在はほとんどが回転吸入式です。カートリッジ式に比べると、貯めるインクの量が多く、コストパフォーマンスにも優れています。

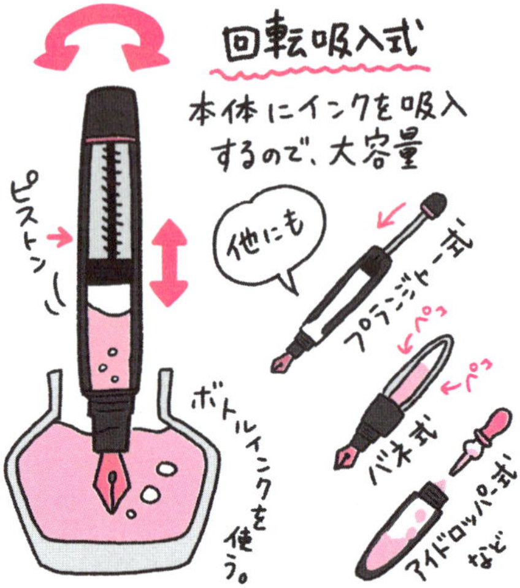

手軽で持ち運びもできる「カートリッジ式」

カートリッジ式は、使い捨てのリフィルを交換する方式。インク補充が簡単なため、現在の主流となっています。
ちなみに、ボトルインクをカートリッジ式の万年筆で使用できるようにするコンバーターも、各メーカーから別売りされています。

顔料インクの登場で万年筆もカラフルに

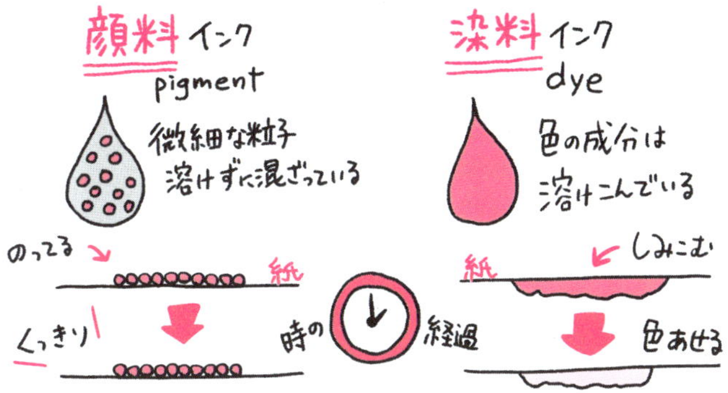

万年筆のインクには、「顔料インク」と「染料インク」があります。溶剤に溶ける着色剤を「染料」、溶けないものを「顔料」といいます。染料は発色がよいですがにじみやすく、顔料は耐水性・耐光性に優れていますが粒子が大きく目詰まりしやすいのが特徴です。
万年筆のインクは、染料インクが一般的でしたが、技術の進歩により粒子を細かくして目詰まりしにくくしたことで、カラフルな顔料インクも使用できるようになりました。

経年変化で〝ブルー〟から〝ブラック〟へ

万年筆用インクの定番色「ブルーブラック」は、元来長期保存用に開発されたインク。書いてしばらくは青いのですが、一定期間が過ぎると退色し、空気中の酸素と結合したタンニン酸第一鉄が紙面に固着することで黒くなります。このような性質からブルーブラックと呼ばれています。
酸化鉄を含む古典的なブルーブラックインクは数少なくなりましたが、プラチナ万年筆やペリカンなどが現在も生産しています。

日本最高級 Namiki ブランドとは？

高級万年筆の代表格といえば、Namiki の「蒔絵万年筆」。筆記具メーカー、パイロットが、その前身である並木製作所の伝統を守り、蒔絵や沈金などの装飾を施した万年筆を Namiki ブランドで販売しています。
Namiki 蒔絵万年筆の中でも最高峰のシリーズが「エンペラーコレクション」。おおよそ 100 年ほど前に制作された大型蒔絵万年筆と同じ大きさの 50 号ペンで、エボナイトを削り出した軸に、研出高蒔絵が施されています。

有名人も愛用のオトナ万年筆

万年筆は多くの著名人や作家たちも愛用してきました。
マッカーサー元帥が愛用したパーカーの「デュオフォールド」、松本清張や石原裕次郎が愛用したモンブラン「マイスターシュテュック 149」、赤川次郎愛用のペリカン「スーベレーン M500」などが有名です。

万年筆デビューはスタイリッシュに

若い人が初めて買う万年筆として推したいのが、リーズナブルでスタイリッシュな、LAMY（ラミー）の「サファリ」（万年筆）。赤・青・黄などのカラフルな色と大きなクリップが特徴的なデザインで、書き味もなめらかです。

ボールペン感覚で使える、ノック式のパイロット「キャップレス」も入門者におすすめです。

プチプラだから気軽に使える

ここ最近、プチプラ（安いのに高品質）の初心者向け万年筆も、たくさん登場しています。

パイロットの「カクノ」や、プラチナ万年筆の「プレピー」「プレジール」は、1000円前後という価格帯なので、子どもから大人まで気軽に使えます。

【フェルトペン・マーカー】

Felt-tip pen / Marker

何にでも書けるなんて魔法のよう！

日本初のフェルトペンはマジックインキ

ペン先に繊維や合成樹脂を用いたペンを、フェルトペン（マーカー）と呼びます。
日本初のフェルトペンは、1953年（昭和28年）に寺西化学工業と内田洋行が共同で開発・発売した「マジックインキ」です。「マジックインキ」は油性で、何にでも書けることから「魔法のインキ」と呼ばれ、好評を博しました。

宇宙にまで行ったサインペン

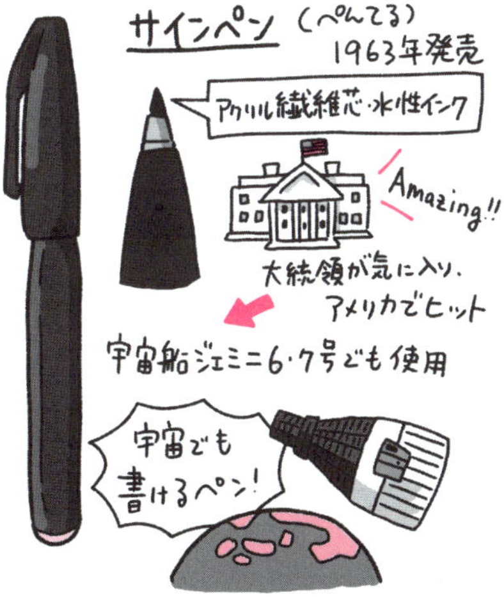

マジックインキに続けとばかりに、ペン先がフェルトや化学繊維のペンがいくつも開発されました。その中の1つが大日本文具（現ぺんてる）が1963年（昭和38年）に開発した「ぺんてるサインペン」です。ペン先にはアクリル繊維を用い、にじみの少ない水性インクで細字が書ける点が画期的でした。その後、当時のアメリカ大統領リンドン・ジョンソンに気に入られ、アメリカでヒット。1965～66年には、NASAが有人宇宙飛行計画「ジェミニ」に「サインペン」を採用、宇宙でも使用されました。

毛細管現象でインクをペン先に供給

ペン先が繊維でできたフェルトペン（サインペン、マーカーなど呼び名はさまざま）の特長は、繊維特有の植物が水を吸い上げるのと同じ「毛細管現象」を利用してインクをペン先に供給していることです。
インクの貯蔵方法には、綿にインクを染みこませた「中綿式」と液体のまま貯蔵する「直液式」があります。

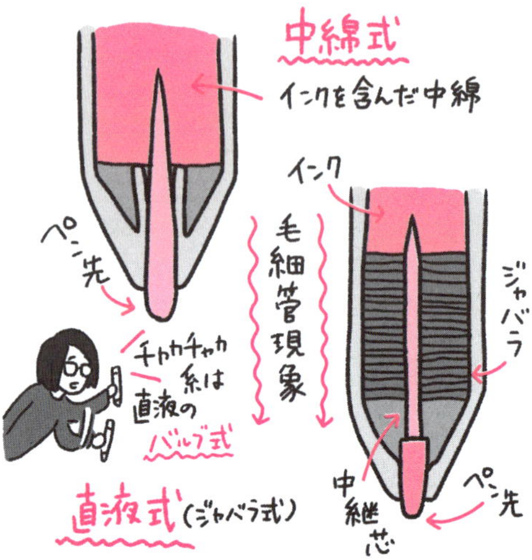

どこにでも書ける「油性」、色鮮やかな「水性」

フェルトペンは、大きく分けて「油性」と「水性」に分けることができます。油性は速乾性でさまざまなものに書けるという特性があります。一方の水性は水をはじくものには書けませんが、発色が鮮やかです。
例外として、水性ですがさまざまなものに書け、色も鮮やかな三菱鉛筆の「ポスカ」のようないいとこ取りの製品もあります。

付き合いは「蛍の光」を歌うその日まで

大事なところに蛍光ペン

蛍光ペン（ハイライター）もフェルトペンの一種。学生が勉強用に必ず持っているといってもいいアイテムです。最初はイエローとピンクなどカラーは限定的でしたが、今ではカラーも豊富。

世界初の蛍光ペンは、ドイツのスタビロから 1971 年に発売されました。日本では 1974 年（昭和 49 年）に、トンボ鉛筆が国産初の製品を発売しました。

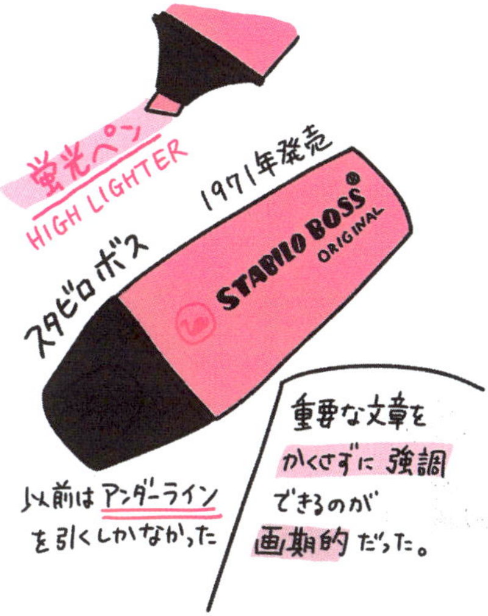

暗記するところにチェックペン

蛍光ペンの技術を応用したのが、1982 年にゼブラが発売した暗記用の「チェックペン」。教科書などの文章や単語をペンで塗り、透過性のある下敷きを載せると、その部分が黒くなって見えなくなるという製品です。当初は赤と緑の 2 色でしたが、現在はピンクと青も用意され、紙の裏面までにじまないインクを採用するなどの改良が図られています。

【筆ペン】

Fude-pen

世界初はセーラー、シェア No.1 は呉竹

筆ペンもペン先が繊維でできているため、フェルトペンの一種といえます。
最初の筆ペンは 1972 年（昭和 47 年）、セーラー万年筆が発売。同じ年に呉竹精昇堂（現、呉竹）が「くれ竹筆ペン」を発売し、書き味が毛筆に近いと好評で、大ヒットしました。現在では、名称から「ペン」が取れた「くれ竹筆」というシリーズも発売されています。

墨汁を含ませるようにたっぷりと

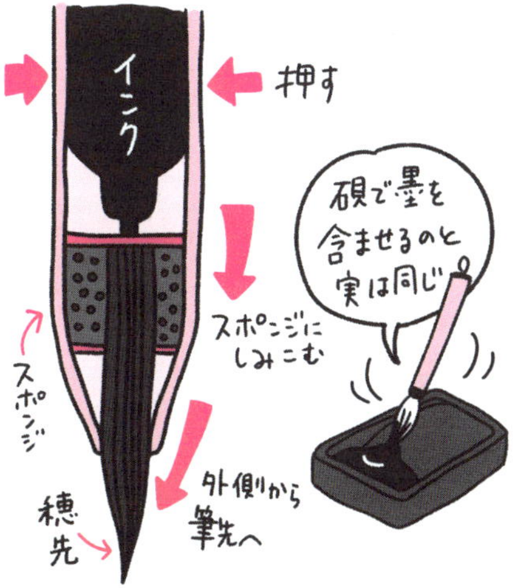

通常フェルトペンは、毛細管現象によってインクがペン先に供給される中綿式や直液式が採用されています（60 ページ参照）。しかし、筆ペンはより多くのインクを必要とするため、インクカートリッジを指で押して筆先にインクを供給する「スクイズ式」が多く見られます。

めでたいときも、哀しいときも

筆ペンの使用シーンというと、まず慶事や弔事が思い浮かびます。祝儀／不祝儀袋には毛筆で、と考える人も多いのではないでしょうか。そこで、まず筆ペンを一本買うなら、真っ黒な墨と薄墨で書ける慶弔両用のものをおすすめします。

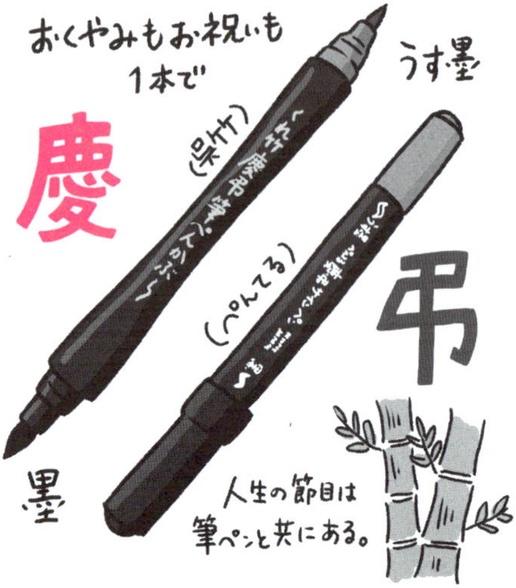

もはや「画材」！　全 30 色の筆ペン

墨色以外にも、さまざまなカラーを取り揃えているのが、ぺんてるの「アートブラッシュ」。全 30 色と豊富なカラーバリエーションを誇り、文字を書く筆記具としてだけでなく、絵を描く「画材」としても注目されています。

見た目もインクも〝SO CUTE〟

呉竹の「ZIG レターペンココイロ」は、見た目はカジュアルな万年筆風ですが、その実態は筆ペン。本体カラー 8 色、インク 5 色のバリエーションが楽しい製品です。
また、「ZIG メモリーシステム ウインク オブ ステラ ブラッシュII」は、ラメ入りインク全 10 色を揃えた筆ペン。ノートをかわいく彩るデコレーション用途として、女性に人気のアイテムです。

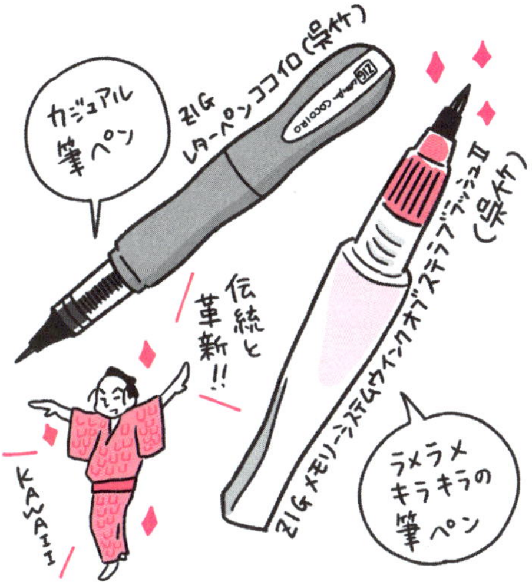

とめ、はね、はらい、できれいな文字を

呉竹が美しい文字にこだわって開発したのが「美文字筆ぺん」です。持ちやすいラバーグリップや、扱いやすい硬めのペン先を採用。筆に不慣れな人でも、とめ、はね、はらいなど、線にメリハリがつけられるため、美しい文字が書けます。ペン先は、5 つの太さから選ぶことができます。

【消しゴム】……Eraser

あやまちを
こすって
包んで
連れ去って。

〈文字はパンのみにて消すものにあらず〉

パンから天然ゴム、そしてプラスチックへ

消しゴムが誕生したのは1770年。イギリスのジョセフ・プリーストリーが天然ゴムで鉛筆の字が消せることを発見したのが始まりです。それ以前はパンが使われており、今でもその名残で絵画の木炭デッサンなどでパンが使用されます。現在主流のプラスチック製の消しゴムは、1950年代にシードゴム工業（現在のシード）などから発売されました。

実は〝おまけ〟だった定番消しゴム

消しゴムの定番、トンボ鉛筆の「MONO消しゴム」。当初は、1967年（昭和42年）に発売された高級鉛筆「MONO-100」のダース箱に同梱された〝おまけ〟でしたが、好評だったため、1969年（昭和44年）に商品化されました。

黒鉛を包み込んで紙からはがす

消しゴム（プラスチック製も含む）で鉛筆の筆跡を消す仕組みは、ゴムが紙上の黒鉛を包み込み、紙からはがすからです。こすりつけられた消しゴムの表面は削れ、新しい面が表れます。この作業が繰り返されることで筆跡が消えるのです。

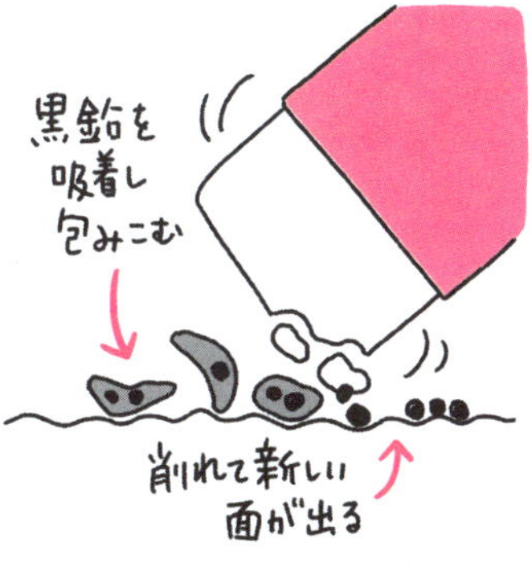

天下統一は難しい？　定番消しゴム三国志

人気のプラスチック消しゴムには勢力図があります。
大阪が本社のシードが販売する「レーダー」は関西地方で人気。一方、東京に本社があるトンボ鉛筆の「MONO 消しゴム」やホシヤの「keep」は、関東地方や中部地方で人気があります。

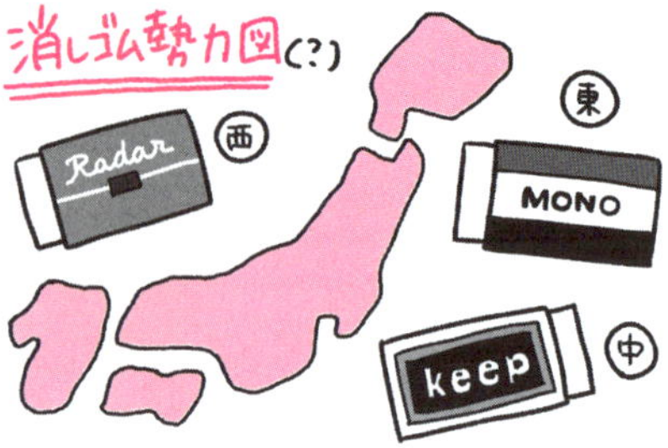

消しカスが散らばらず処理がカンタン

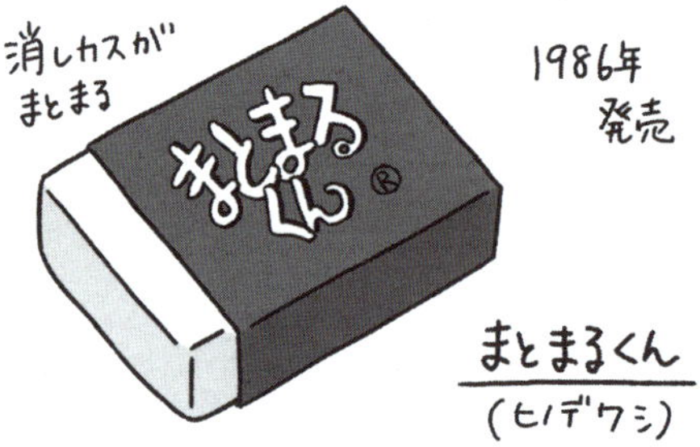

大量に出る消しカスをどうにかしようと開発されたのが、ヒノデワシが販売する「まとまるくん」。柔らかいプラスチックを使用しているため、消しカスが消しゴム本体にくっつき、まとまるので処理が簡単です。手描きの漫画家など、消しゴムをよく使う人にうってつけです。

よく消える秘密は「空気」にあり

消しゴムは角のところが消しやすい。その角で消す感触を保つために、消しゴム内に空気の粒子（多孔質セラミックスパウダー）を入れたのが、プラスの「AIR-IN」（エアイン）。さらに進化した「W AIR-IN」では、AIR 入りカプセルパウダーが追加され、より軽くこすっただけで消せるようになりました。

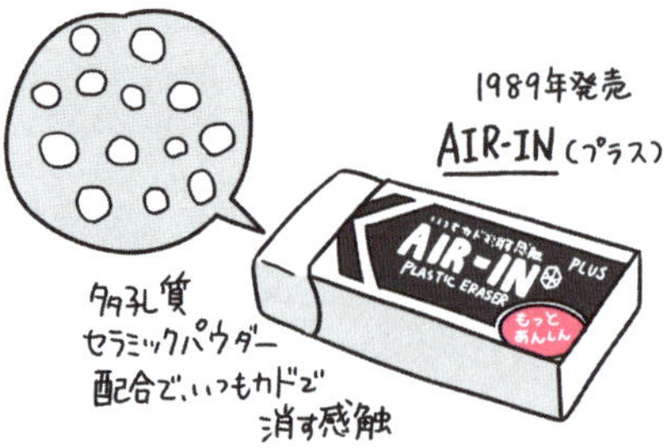

角が立つほど消しやすい

角をデザインに昇化させたのが、コクヨの「カドケシ」。角が28個もあるので、使っていくうちに常に新しい角が現れます。細かい文字は角で、広い範囲は面で消すという使い分けができます。ニューヨーク近代美術館（MoMA）のデザインコレクションにも選ばれています。

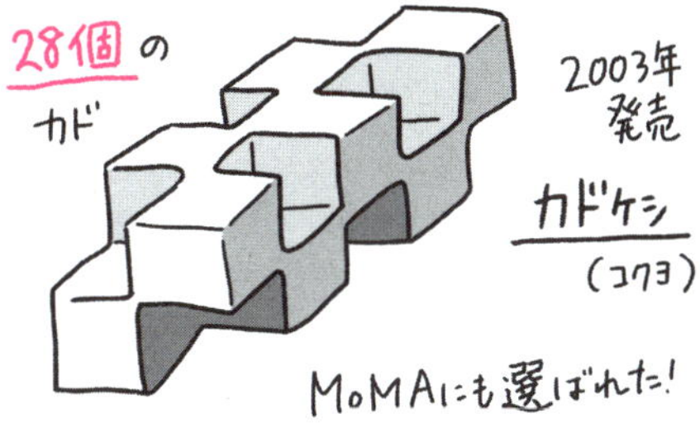

製図やデッサンに最適の消しゴム

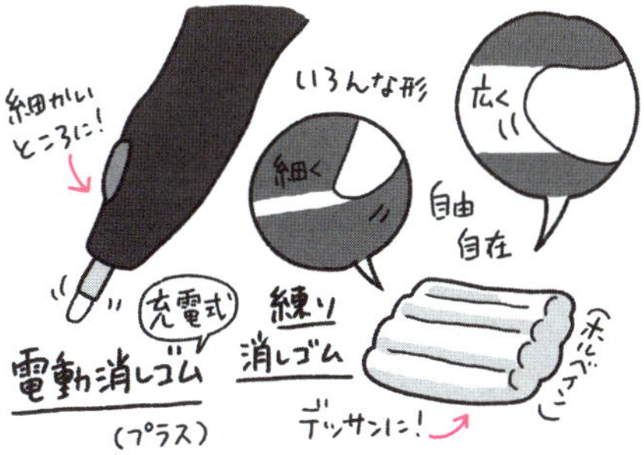

電池で先が回転する電動消しゴムは、製図などで細かいところを消すときに便利です。
また、デッサン用途には、粘土のように柔らかい練りゴムが用いられます。これは、大量の黒鉛を吸着するのに適しているからです。

ボールペンや万年筆、タイプライター用も

ボールペンや万年筆、タイプライター用として、砂消しゴムがあります。これはやすりのように紙を削りとるもので、修正液が登場する前は定番でした。タイプライター用は、1行だけ消せるように薄い板状で、円形や八角形の消しゴムもありました。

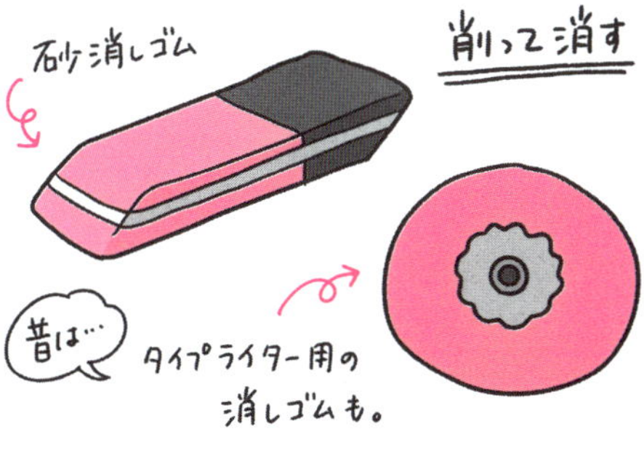

【修正液・修正テープ】

Correction fluid / Correction tape

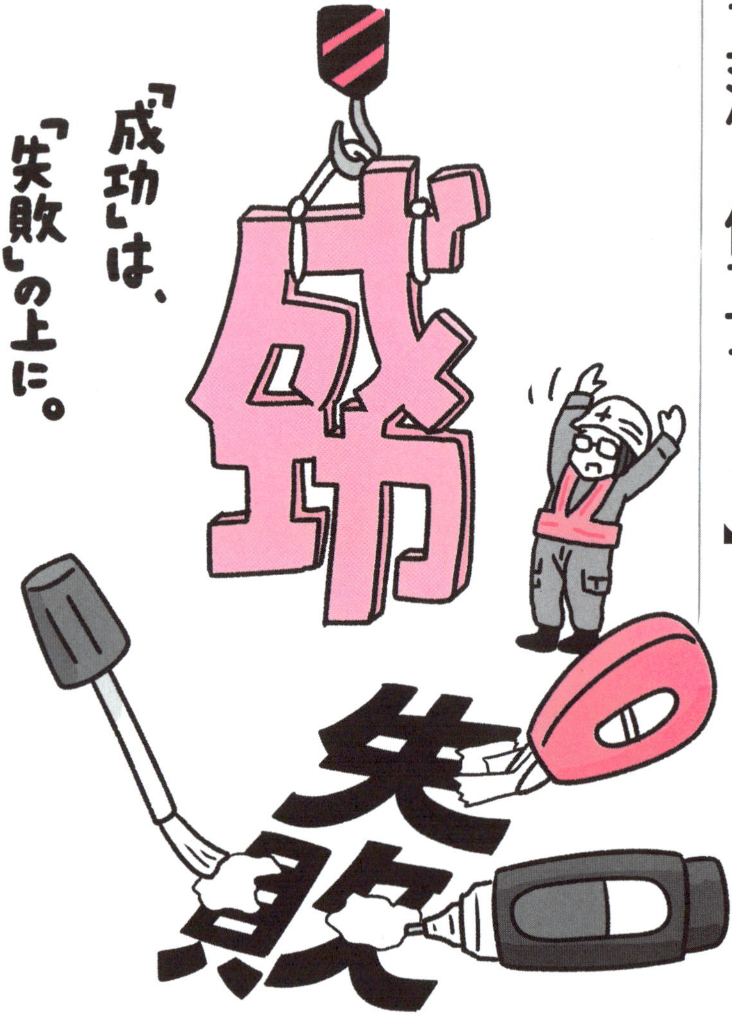
「成功」は、「失敗」の上に。
成功
失敗

白く塗れ！—Paint It, White—

秘書の「めんどくさい」が誕生のきっかけ

修正液のない時代は、タイプを1文字でも失敗すると一からすべて打ち直し。アメリカの銀行で秘書を務めるベティ・ネスミス・グラハムは、あるときこれを「めんどくさい！」と思い、ミスした個所を白く塗る修正液を考案。
1951年（昭和26年）にはこの修正液を「Mistakeout（間違い消し）」と名付け商品化。後に会社を興し、「Liquid Paper」ブランドで成功を収めました。

ペンが変われば修正液も変わる

国産の修正液は、1970年（昭和45年）に丸十化成が発売した「ミスノン」が最初です。
丸十化成は戦前から、つけペン用に「ガンヂー」というインク消しを販売。しかし、これはインクを白く変色させるもので、ボールペンのインクには対応していませんでした。そこで、ボールペンに対応するため、白く塗る修正液の開発に到りました。

ペン先から修正液が出る本体スクイズ式

誕生以来ずっとハケで塗る方式だった修正液ですが、1983年（昭和58年）、ぺんてるがペン先から液が出る修正液を発売。「本体スクイズ式」（液を押し出す方式）によって液がペン先に供給される仕組みで、細かい修正ができると人気に。その後、他社も追随してペン型を発売しました。
ちなみに振るとカチャカチャと音が鳴るのは、修正液の分離・沈殿を防ぐ金属球が内蔵されているためです。

ペン型とボトル型で市場を二分

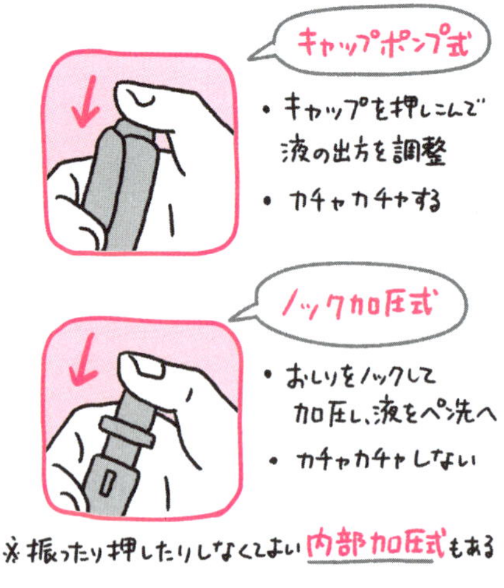

ペン型が登場して以来、キャップを押すことで液を押し出す「キャップポンプ式」や、お尻をノックして液を押し出す「ノック加圧式」などの「修正ペン」が続々登場。以来、広い範囲を塗る場合はハケで塗るボトル型、細かい修正をしたいときはペン型というすみ分けができました。

〈液体からテープの時代へ〉

〝ドライ〟なところが魅力的

修正用品は長らく液体が主流でした。しかし 1990 年（平成 2 年）、消しゴムで有名なシードが、修正個所に押し当てて引くと白いテープが転写される、修正テープの「ケシワード」を発売。ドライタイプのため乾燥不要で、すぐに上書きできるという画期的な製品でした。

修正テープのイノベーションが止まらない

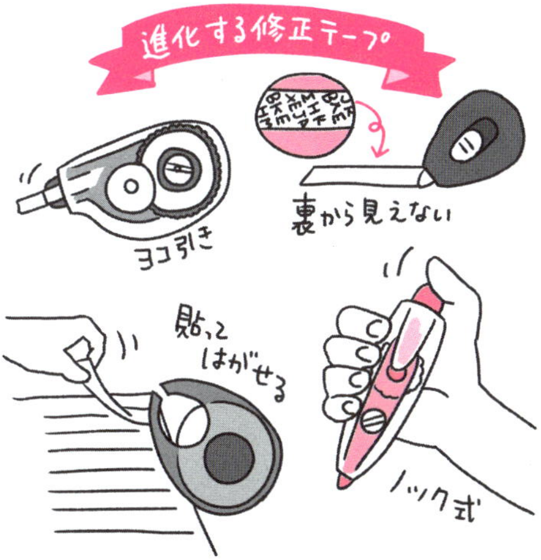

前出のシードが基本特許をライセンス供与したため、各社から修正テープが発売されました。テープの裏面に模様を入れて文字が裏から見られないようにしたものや、貼ってはがせるものなども登場。

さらにテープを横向きに貼れるものや、ペンのようにテープの出し入れをノック式にしたものなど、ボディデザインに工夫を凝らした製品が販売されています。

文房具の周辺史

1

文具店

今は昔、町には文具店といふもの溢れけり

全国で8千店を切った文具店

皆さんは、文房具をどこで買いますか？　近くの文具店ですか、それともスーパーやコンビニでしょうか。最近では百円ショップや、インターネットの通販を利用している人も増えてきたようです。

昭和生まれの人の中には、文具店と聞くと、学校のそばや商店街の中にあった個人経営のお店を想像する人も多いと思います。確かに昭和30〜50年代には、全国に約3万店もの文具店があり、文房具を買うなら近所の文具店で、という人が大半でした。ところが今や文具店は日本全国で8千店を切ったと言われており、1店舗も見当たらないという町すらあります。

後継者不足に加え、子どもの数の減少、前出のような購入場所の多様化などが、店舗数の落ち込みに大きく影響したことは間違いありません。

閑古鳥の文具店が潰れない理由

文房具業界では、店先で個人のお客さんに販売する取り引きを「店頭」、会社などの法人や学校、役所などを対象にした取り引きを「納品」と呼びます。多くの文具店の売り上げは、主にこの2つによって成り立っています。

店でお客さんをほとんど見かけないのに、長年経営が続いている文具屋を不思議に思ったことはないでしょうか。それは、先に述べたような、私たち一般消費者からは見えない法人や役所相手の売り上げがあるからかもしれません。しかし、近年パソコンの普及によるペーパーレス化が進み、仕事場で以前より紙や文房具が使われなくなったため、そのような売り上げも縮小の一途をたどっています。

ちなみに法人を相手にした取り引きでは、文房具だけでなくデスクや椅子をはじめとするオフィス家具も販売することも多く、これが文房具の売り上げを上回ることが少なからずあります。中には、印刷物の制作やイベントのプランニングまで請け負う文具店も存在します。このように文具店は、

私たちの見えないところで「オフィスの便利屋」的な役割も担ってきたのです。

オフィスの強い味方、参上

前項で触れた「オフィスの便利屋」的な商いを事業化して成功したのが、1993年に文具メーカーのプラスが始めた「アスクル」（※）です。それまで文具店が行っていたオフィス用品の販売・配達を代行するサービスで、注文した商品が翌日届く、つまり「明日来る」ところから「アスクル」と名付けられました。

プラスの製品だけでなく他社の製品も幅広く取り扱ったことから、特に中小規模のオフィスの需要が増加し、業績がアップ。1997年には株式会社となり、2004年には東証1部に上場するなど躍進を遂げ、今ではなくてはならないオフィスの強い味方となっています。

小売の文具店を飛ばして直接商品を顧客に届けるというアスクルの存在が、文具店の減少に拍車をかけていると見

る向きもあるでしょう。そこでアスクルは、地域の文具店に新規顧客獲得の営業活動、代金回収・債権管理などを担当してもらい、自分たちはカタログ作成と商品の受注、発送を担当するという、文具店にも利益が落ちる仕組みを構築。業界全体の活性化も視野に入れて取り組んでいます。

〝文具店を選ぶ〟時代に

再び実店舗に目を向けてみましょう。冒頭で文具店が激減しているとお話ししましたが、かつて学校のそばにあったような昔ながらの文具店は少なくなったものの、現代のニーズに合わせた形態で営業する文具店が増えてきました。

例えば、ハンズやロフトのように実用的なものからおしゃれなものまで豊富な品ぞろえが魅力の大型店舗、あるいは銀座の伊東屋のように世界中から選りすぐった逸品やオリジナル商品を取り扱う専門店などは常に賑わいを見せてます。また、小規模ながらスタイリッシュなステーショナリーを集めたセレクトショップ、文具以外の雑貨なども多く扱うバラエティショップ的なお店も町でよく見かけるようになりました。

いまは〝文房具を選ぶ〟だけでなく、〝文具店を選ぶ〟楽しみもある時代といえるでしょう。

※アスクル
現在はヤフー株式会社が筆頭株主で、同社の連結子会社となっている。

chapter

2

記す。残す。写す。

【ノート】

……… Notebook

記録と記憶。

思考の財産。

糸よ、さらば

洋紙のノートは文明開化とともに

もともと日本では和紙をとじた帳面が使われていましたが、1884 年（明治 17 年）に松屋という文房具屋が、鉛筆やペンに適した洋紙を使ったノートを発売。当時、松屋が帝国大学（現在の東京大学）の向かいにあったことから、「大学ノート」と呼ばれるようになったという説があります。

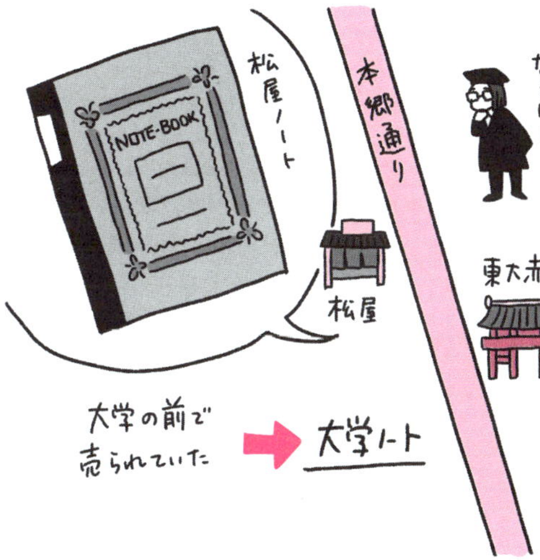

接着剤でとじた「キャンパスノート」の登場

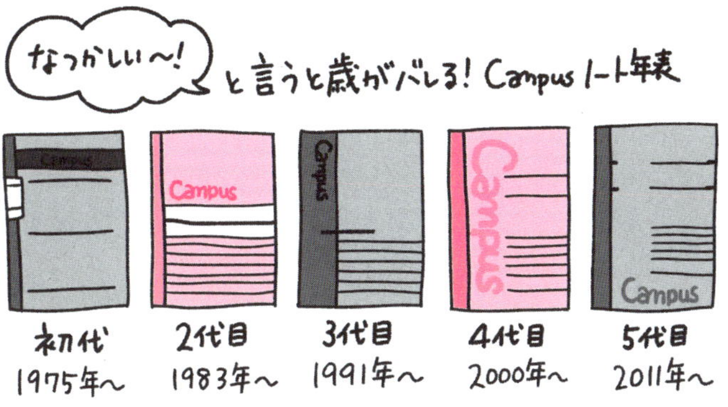

当初、大学ノートは糸でとじられており、しばらくはこの糸とじが主流でした。大変革が起きたのが 1975 年（昭和 50 年）。コクヨが糸や針金を使用せず、接着剤で紙をとじた「キャンパスノート」を発売。リーズナブルな価格のため、学生に喜ばれました。ちなみに「キャンパスノート」の「キャンパス」は、「大学のキャンパス（敷地）」をイメージして名付けられました。

昔ながらの「糸とじ」はとっても丈夫

昔の大学ノートで主流だった「糸とじ」は、見開きの紙の中央を細い糸でかがる（縫う）製本方法です。ページ落ちしにくく、耐久性にも優れています。糸の代わりに針金（ステープラー）でとじる「中とじ」や「平とじ」のノートもあります。

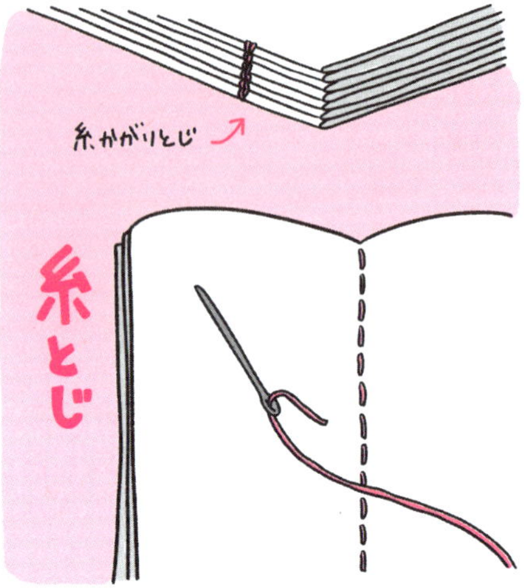

「無線とじ」の〝線〟って何のこと？

「キャンパスノート」など、現在多くのノートで見られるのが「無線とじ」。〝線〟とは糸やワイヤー（針金）のことで、これらを使わず、接着剤で用紙を表紙に貼り付けることからこう呼ばれています。
無線とじは加工が容易でコストが抑えられるため、価格が安いのがメリット。昔はページが外れやすいとの声も聞かれましたが、今ではだいぶ改善されています。

くるっと回して省スペースの「リングとじ」

用紙をリング状のワイヤーでとじるのが「リングとじ」。ページが180度開くので手で押さえておく必要がなく、360度開いて裏側に折り返せば場所を取らずに済みます。
一本のらせん状のワイヤーを用いた「スパイラルリング」は低コストで製造できるため安価で､2本のワイヤーを用いた「ダブルリング」はノートを開いときに左右のずれが生じないなどのメリットがあります。

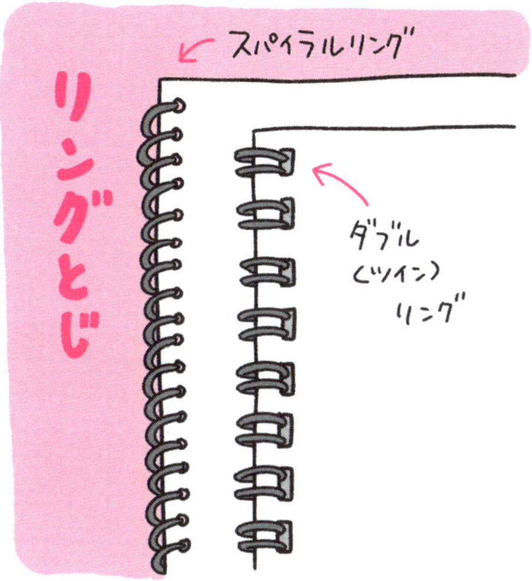

column

日本で古来から用いられた「和とじ」

中国から伝わったとじ方を日本流にアレンジしたのが「和とじ」です。平安時代にはすでにこのとじ方が使われていました。少部数から作れるため、民芸品店などで、オリジナルの和とじノートが販売されているのを見かけます。

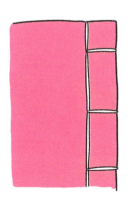

罫線の ABC、教えます！

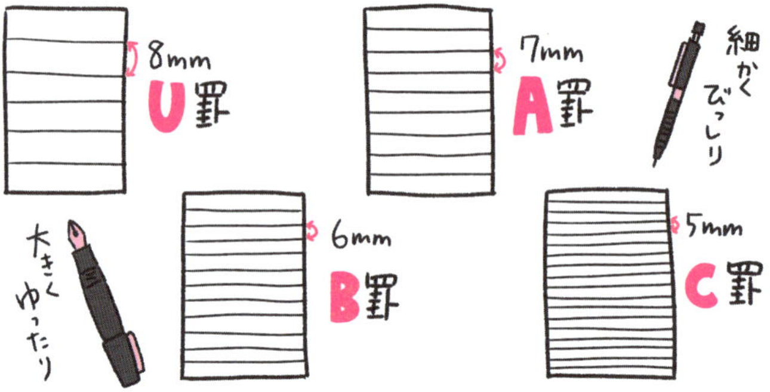

ページに印刷されているラインを「罫線」といいます。罫線の間隔によって呼び方があり、7mm の「A 罫」、6mm の「B 罫」、5mm の「C 罫」、8mm の「U 罫」などがあります。日本で需要が多いのは、A 罫と B 罫のノートです。

罫線に縛られたくない、自由なあなたに

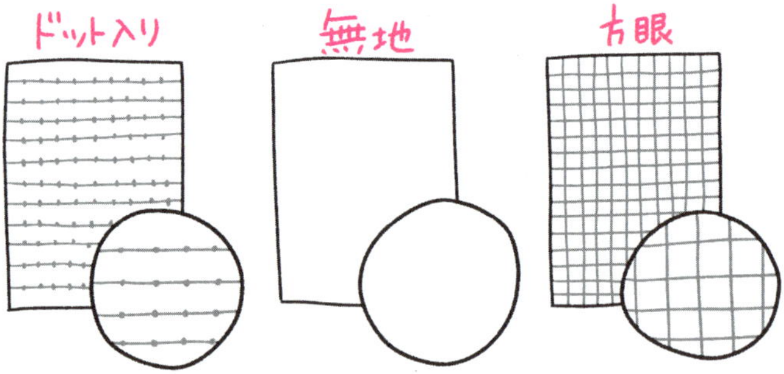

図やアイデアスケッチなどを描くことが多い人には、等間隔に点が打ってある「ドット」、まっさらな「無地」、格子状の「方眼（G 罫）」など、罫線が邪魔をしないノートがおすすめ。特にドットや方眼はガイドとしての役目を果たすため、文章や図表もきれいに配置して書けるので便利です。

みんな集まれ！　罫線オールスターズ

用紙やサイズは同じでも、罫線の違いひとつで、ノートの用途や目的もまったく違うものに。ここでは、学生の頃にお世話になったノートから、専門的なノートまで一堂に集めました。

文豪気分を味わえる原稿罫は、文字数が数えやすいのも便利。

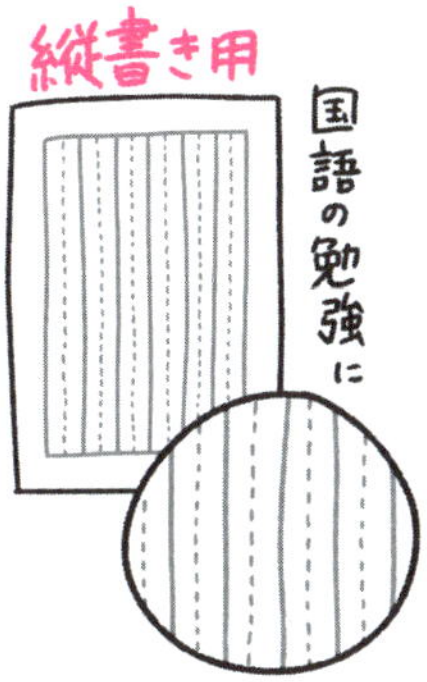

長文を書くなら、縦書きがしっくりくる、という人も多いのでは？

誰もが一度はお世話になった4線ノート。懐かしい！

五線譜ノートは、ステキなメロディの源泉です。

思いついたら、すぐ一句。シンプルだけど気分が出ます。

美しいノートの秘密は補助線にあり

ナカバヤシの「スイング・ロジカルノート」は、誰でも整然としたきれいなノートが作れるのがウリ。通常のヨコ罫と、それを三分割する破線、タテの破線に沿って文字を書くことで、行間を等間隔に空けたり、段落の行頭を揃えたりできます。図や表などは、フリーハンドでもかっちりと作成できます。

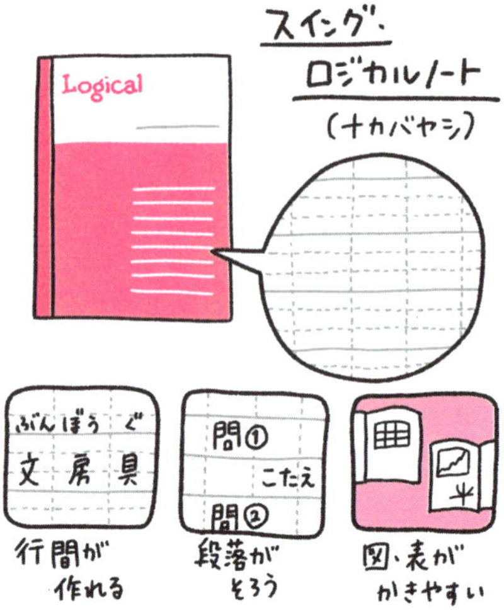

君も〝コーネルメソッド〟を体験してみないか！

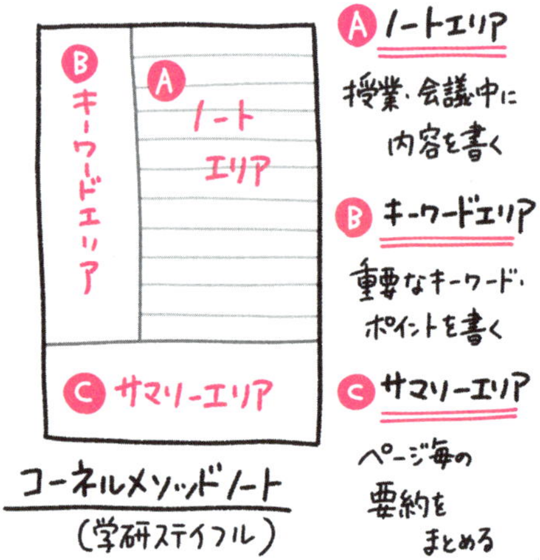

アメリカのコーネル大学が開発し、学研ステイフルが販売する「コーネルメソッドノート」は、通常のノートエリア、キーワードを書き出すエリア、まとめを書くサマリーエリアに分けられています。これにより、ポイントが明確になり、理解と分析が促されるという優れものです。

あなたの知らない、キャンパスノートの世界

コクヨの「キャンパスノート」には、実に15種類300品番以上ものバリエーションがあります（2025年3月末時点。表紙のカラーやセット売りなどは含まない）。その中には、あまり知られていないけれど実は秀逸、というノートが数多く存在します。ここではそのほんの一部をご紹介します。

実用性に富んだ、方眼、ドット、白紙をラインアップ。表紙もシックな大人デザイン。

セミB5ノートの半分サイズで、パソコン手前のスペースにぴったり。ドット入り罫と方眼罫の2種類があります。

B5サイズのプリントがそのまま貼れるサイズや工夫が嬉しい、中高生の強い味方！

プリントの受け取りや提出が多い学生にありがたい、ポケット付きのノートです。

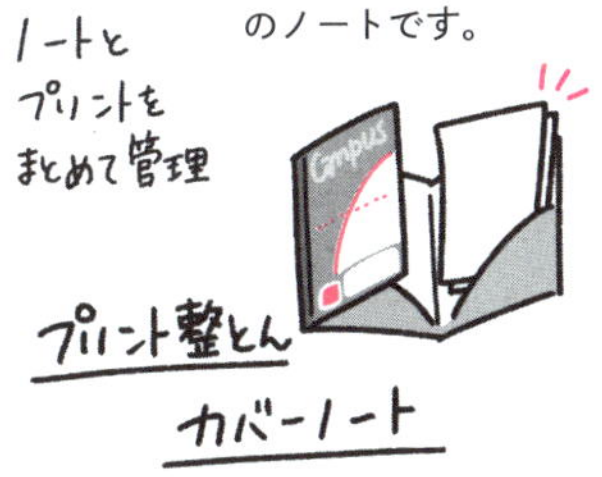

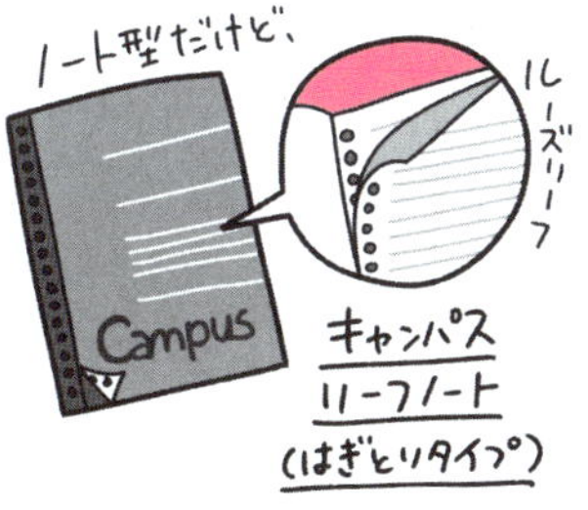

ページを切り離してルーズリーフとして使えます。26穴バインダーや2穴ファイルに対応！

【ルーズリーフ・バインダー】

Loose leaf

ページ順からの、解放。

「ルーズ」さが魅力!?

追加・差し替えが自由なノート

「ルーズリーフ」は、後からページを追加・差し替えができるバインダー式ノートです。1913年にアメリカのリチャード・プレンティス・エッティンガーによって考案されたといわれています。

日本では日本産業規格（JIS）に基づいて、穴の数や大きさ、位置が規定されているため、どのメーカーの商品を使用してもバインダーと用紙を組み合わせることができます。

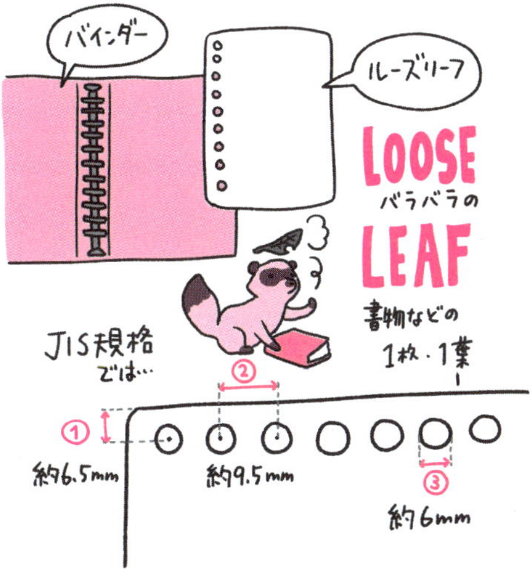

日本サイズは3種類、欧米は3穴、4穴が主流

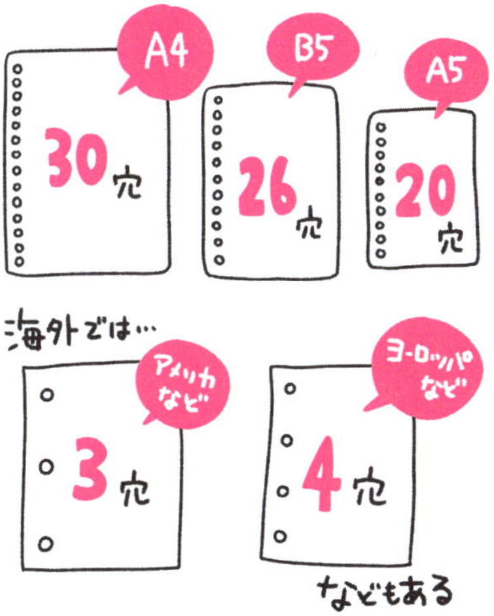

JIS規格では、サイズはA4判、B5判、A5判の3種類、行の間隔はA罫（7mm間隔）とB罫（6mm間隔）の2タイプが定められています。

用紙は、A4判は30穴、B5判は26穴、A5判は20穴です。ただし、これは日本独自の規格であり、米国では3穴、欧州では4穴が主流となっています。

しっかりがっちり書類を守る〝金属とじ具〟

バインダーの心臓ともいえるとじ具には、金属製とプラスチック製があります。金属とじ具のバインダーは、表紙も含めしっかりした作りのため、重要な書類を長期保管する用途に適しています。
コクヨの「バインダー MP」は、ビンテージ感のある総布張りの表紙が特徴。耐久性に優れ、2段階に開く「W 型綴じ具」などで使いやすさも両立したロングセラーです。

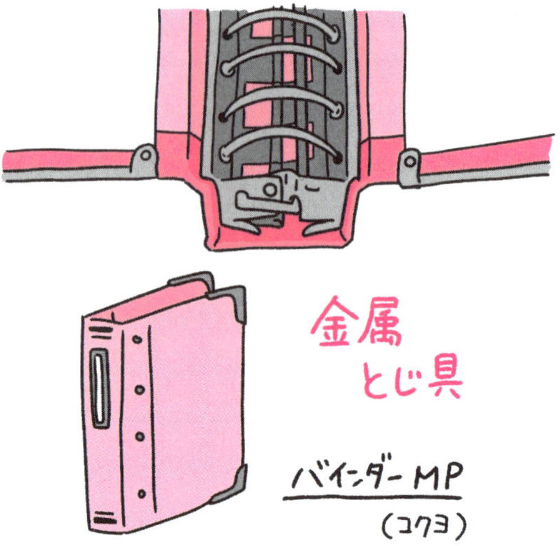

軽さと安さで選ぶなら〝プラスチックとじ具〟

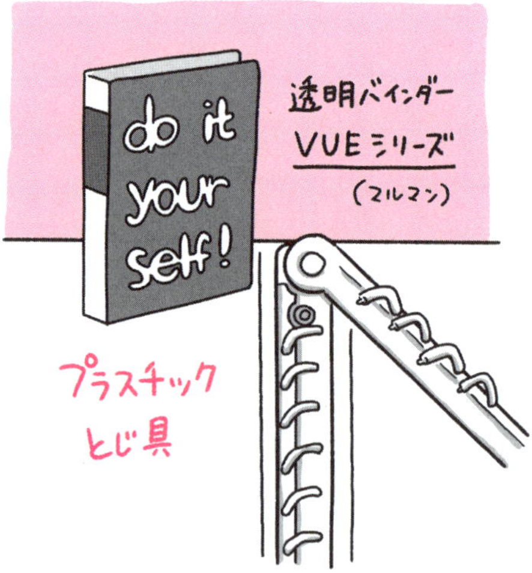

プラスチックのとじ具は、軽量で価格が安いのが特長。持ち運ぶなら、ロック機能があるリングが外れにくいものを選ぶとよいでしょう。
ちなみに、バインダー史上に残るヒット作が、1971 年（昭和 46 年）発売のマルマン「透明バインダー VUE シリーズ〝do it yourself!〟」。表紙の紙を自分好みの写真などに差し替えられるため、学生たちに爆発的に売れました。

いまどきのバインダー事情

リングを減らして手が触れないように

バインダーにルーズリーフを付けたまま使用すると、とじ具のリングが手に当たって書きにくいものです。このため、わざわざ用紙を外して書くという人も多いことでしょう。その点、キングジムの「テフレーヌ」シリーズは、真ん中のリングを省略しているので、用紙を付けたままでも手に当たらず書きやすくなっています。

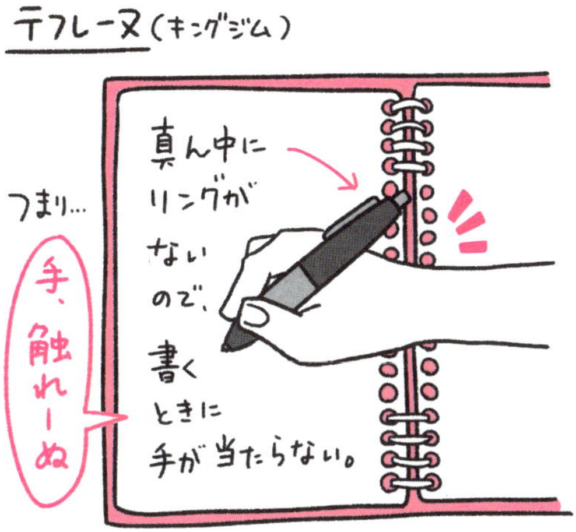

360度折り返せるから〝スマート〟に使える

表紙を360度折り返すことができるコクヨの「キャンパスバインダー〈スマートリング〉」。リングとじのノートのように用紙がクルっと回るので、場所を取りません。全体的にスリムでコンパクトな作りなので、バッグの中でもかさばりません。

芸術家肌の人に教えたいルーズリーフ

ルーズリーフには、ノートとして使用する横罫の用紙以外に、縦罫の用紙やクロッキー用紙、画用紙など、さまざまなリフィル（取り替え用紙）が用意されています。中には、穴がハート型のおしゃれなアイテムも。穴の位置が同じなので、用紙の組み合わせが自由なのもルーズリーフならではです。

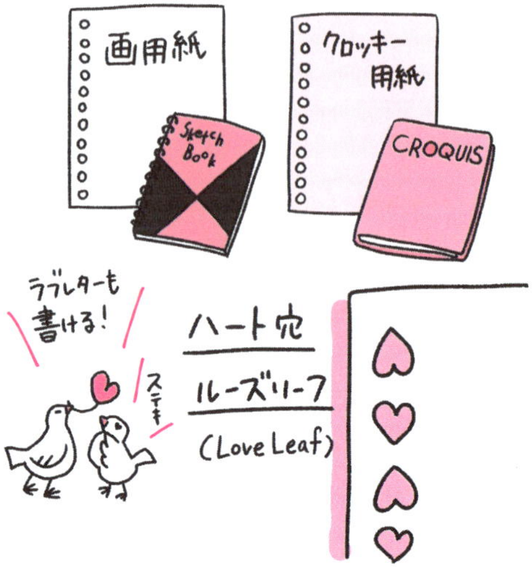

用紙だけじゃない、あると便利なリフィルたち

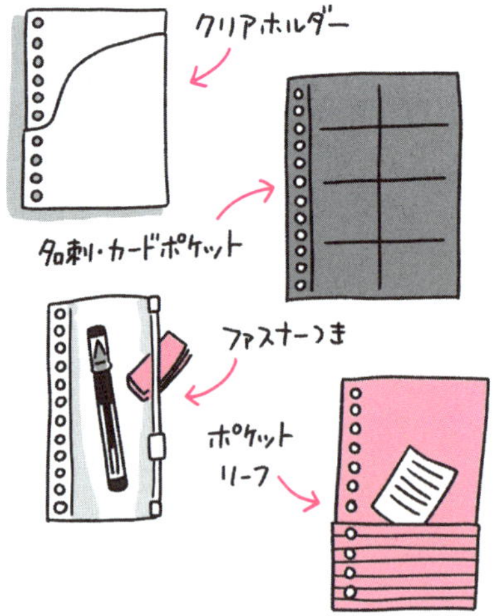

リフィルには資料などを入れておけるクリアホルダーや名刺ホルダー、ファスナー付きのポケットなどもあります。バインダー１冊を名刺入れとして使うこともできますし、プロジェクトごとにバインダーを分け、それに関する内容をノートに書き込み、資料はクリアホルダーに、得意先の名刺は名刺ホルダーに入れて管理するといった使い方もできます。

ルーズリーフのお供に

どんな紙も穴を開ければルーズリーフに

ルーズリーフと同じ穴を開けることで、雑誌の切り抜きやプリントもファイリングできます。カール事務器の「ゲージパンチ」や「グリッサー」、コクヨの「穴あけパンチ　バインダー用 30 穴」など、多穴対応のパンチが各社から発売されています。

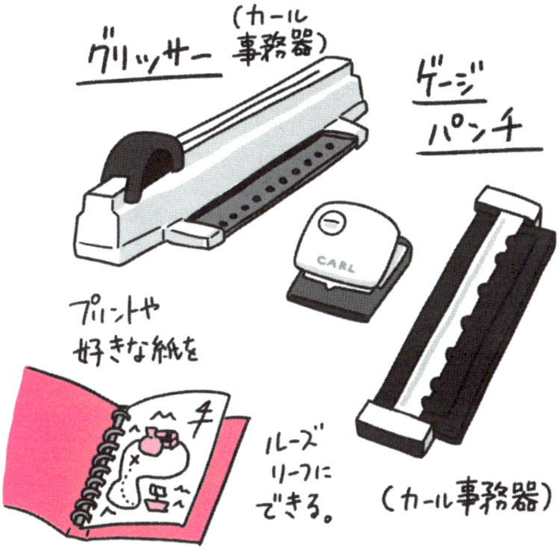

イライラをなくす意外に便利なグッズ

ルーズリーフ用紙を買って、そのままビニール袋で保管する人は多いでしょう。しかし、袋の接着部分に用紙がくっついてイライラすることがあります。それを防ぐのが、用紙を 100 枚収納可能なコクヨの「キャンパスルーズリーフケース」。
丈夫なのでルーズリーフが折れ曲がらず、もちろん袋にくっつくこともなく、きれいなまま持ち運ぶことができます。

【レポート用紙】

Report paper

昔は全部
手書きだったのよ。

上部がとじられた課題提出用ノート

「レポート用紙」は、上部がのり（接着剤）でとじられており、1枚ずつはがして使用できるノート。サイズは、主にA4判かB5判となります。
レポート用紙の元祖である「リーガルパッド」は、1888年にアメリカの製紙工場で働いていたトーマス・ホリーが紙の切れ端を利用して作ったメモ帳が始まりといわれています。

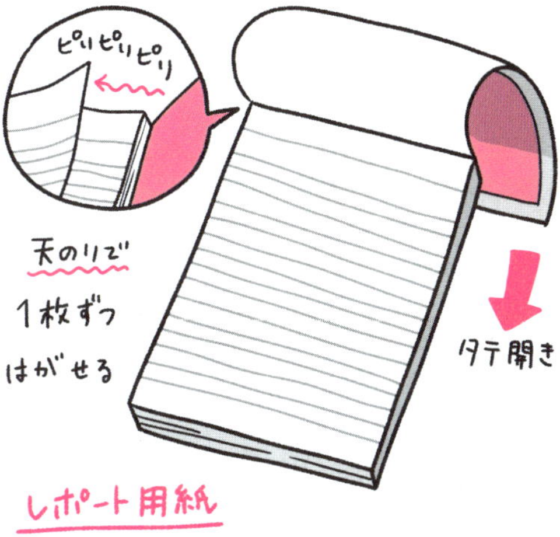

しっかり支えてくれる頼もしい相棒

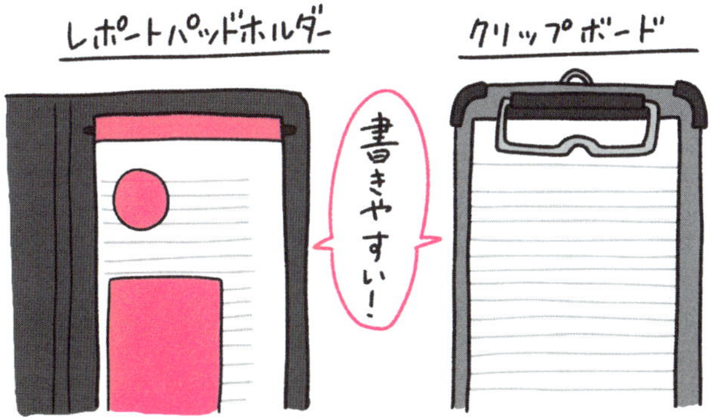

レポート用紙をメモ帳代わりとして携える際に便利なのが、「クリップボード」や「レポートパッドホルダー」です。これらを使えば、机がないところや立っている状態でも、レポート用紙を安定させて書くことができます。レポートパッドホルダーはしっかりした表紙があるので、レポート用紙全体を保護してくれ、カバンに入れても折れたり傷ついたりしないというメリットもあります。

黄色い紙がトレードマーク

「マージン線」で一線を画す

日本のレポート用紙の原型といわれる「リーガルパッド」は、黄色い用紙の上部がステープラーでとじられており（ステープルとじ）、左端から1.25インチ（3.175cm）の部分を、赤の「マージン線」が縦断しています。マージン線の左側にタイトルやポイント、日付、時間などを書き込むことで、内容の整理が行え、読みやすくなります。日本で主流のレポート用紙とは異なり、表紙は付いていませんが、裏表紙がレポート用紙よりも硬いのも特長です。

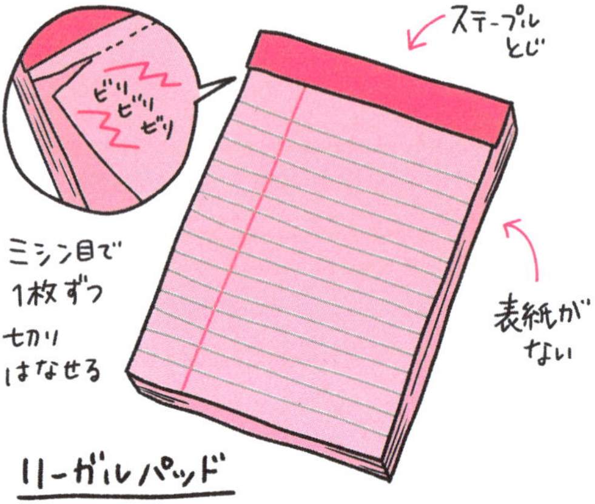

用紙が黄色い理由とは

「リーガルパッド」が黄色なのは、大量の書類に紛れていても一目でメモ帳だとわかるから、あるいは、紙を真っ白に漂白するよりも黄色に着色したほうが楽だったからなど諸説あります。また、製品名の「リーガル」は「法律的な」という意味で、アメリカの裁判官が文具メーカーにリーガルパッドの製造を依頼したからといわれています。

コピー機要らずのレポート用紙

その昔、「複写式レポート用紙」という製品がありました。1枚に記入すると、カーボンによってその下の用紙に転写されるもので、コピー機が普及していない時代には重宝されました。
現在はカーボンを使用しない「ノーカーボンREPORT PAD」が販売されています。ミーティングの際に議事録を書けば、終了後すぐにコピーを渡せるので便利です。

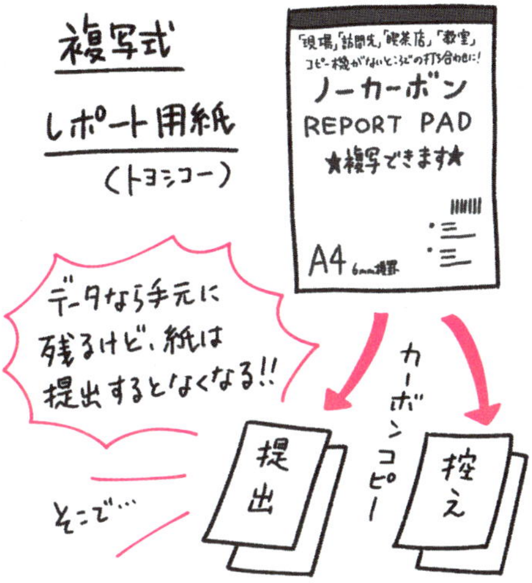

column

便箋も形態はレポート用紙

上がのりでとじられていて1枚ずつはがせるという点で、「便箋」も形態的にはレポート用紙と同じといっていいかもしれません。
ちなみに、イラストののコクヨの「書翰箋」は、「しょかんせん」と読みます。「書翰(書簡)」は手紙のことです。
Eメールが当たり前の今だからこそ、たまには便箋で手紙を書いてみるのもいいでしょう。

【スケッチブック】

Sketchbook

レオナルド・ダ・ヴィンチの時代から

日本の定番「図案シリーズ」

スケッチブックの起源は定かではありませんが、レオナルド・ダ・ヴィンチ（15 ～ 16 世紀）がスケッチブックを使っていたことは有名な話です。
日本を代表するスケッチブックといえば、1950 年代に登場したマルマンの「図案シリーズ」。スパイラルリング（現在はツインリング）によるリングとじを採用し、国産の用紙を使用しています。

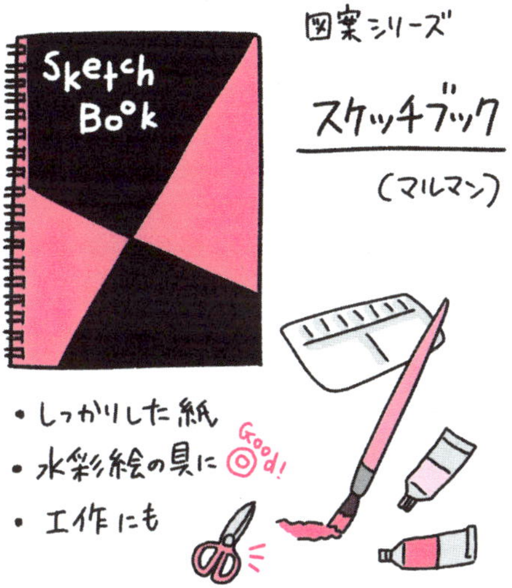

クロッキーブックは速写用のため紙が薄い

「スケッチ」（英語）と「クロッキー」（フランス語）は、本来同じような意味ですが、日本では前者は「写生」や「下絵」を、後者は「速写」を意味しています。そのため、スケッチブックは水彩絵の具の使用などにも堪えるようにしっかりとした厚手の紙を、クロッキーブックはたくさん描けるように枚数が多く、薄くてしなやかな紙を使用しています。

〈スケッチブックにまつわるエトセトラ〉

スケッチブックのサイズは「F」

ノートやコピー用紙は、A4、B5 など、A・B 判の規格で表記されますが、スケッチブックは一般的に、F4、F8 などの「F 規格」で表記されます（日本では A・B 判も販売）。F 規格は画材専用の規格で、F 規格は数字が大きくなるとサイズも大きくなります。

ちなみに、F とは「Figura ＝人物」を表し、フランスの絵画用木枠のサイズに由来します。

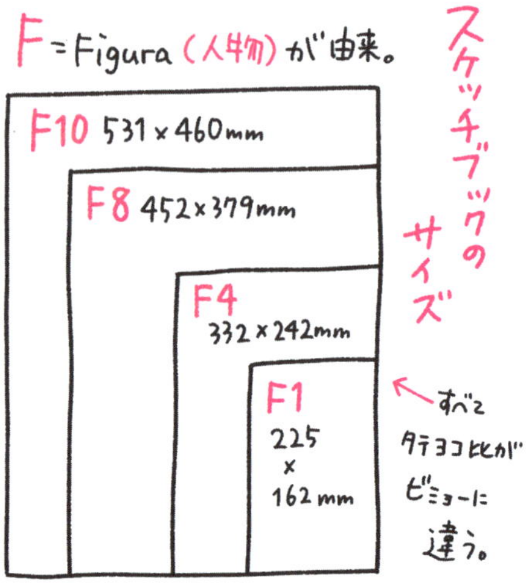

画材が変われば紙も変わる

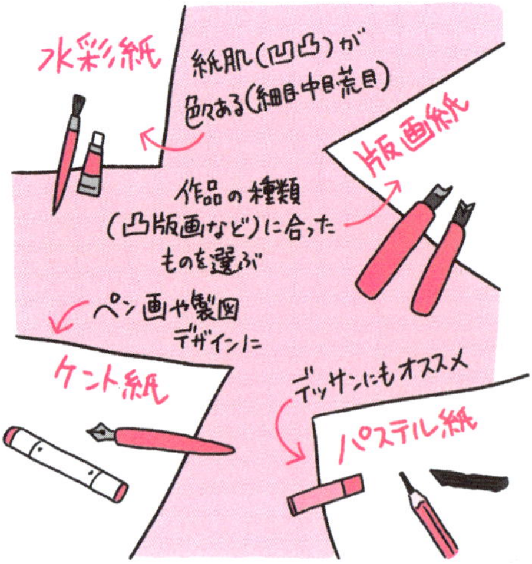

一般の人にはあまり知られていませんが、実は画材や表現手法などに合わせて異なる紙質のスケッチブックが用意されています。普通の画用紙のほかに、水彩紙や版画紙、パステル紙（スケッチ・デッサンなどの用途）、ケント紙（ペン画などの用途）、和紙などの種類があります。

普段使いにもおしゃれな老舗画材店のスケッチブック

東京・銀座の老舗、月光荘画材店のスケッチブックは、知る人ぞ知る名作で、普段使いのノートやメモ帳としても人気があります。その魅力は、きれいな表紙カラー、そして豊富なサイズと紙質のバリエーション。
中でもイチオシなのは、松下電器創業者の松下幸之助の依頼から生まれた「ウス点」。1センチ四方に薄い水色の点が印刷されており、図表や文字をきれいに書け、使いやすいと評判です。

column

いろいろなシーンで活躍するスケッチブック

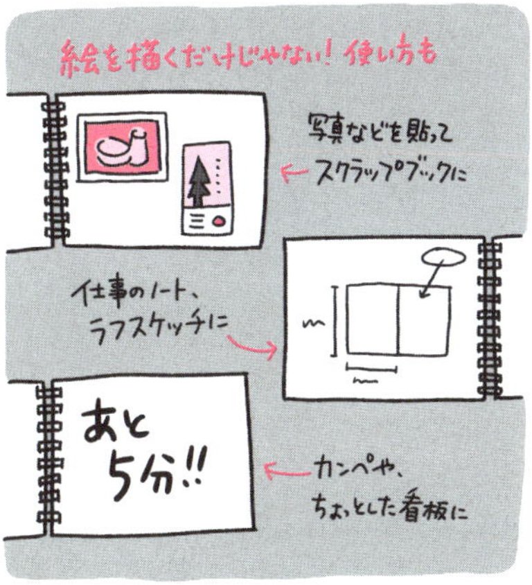

スケッチブックは、絵を描くための用紙ですが、写真を貼ってアルバムとして、あるいはアイデアをまとめるノートとして使うこともできます。また、テレビ撮影の現場で使用される、俗にいう〝カンペ〟(出演者に指示を出す紙)にスケッチブックが使用されていることもよく知られています。

【メモ帳】

Notepad

メモ帳に「かくあるべし」はない

フランスからやって来た、オレンジ色のニクいヤツ

メモ帳はいわば「小さなノート」。特に定義はなく、サイズもとじ方もさまざまですが、携帯用としては、上部をリングでとじた手のひらサイズの「リングメモ」をよく見かけます。
日本でメモ帳として人気があるのが、表紙のオレンジ色がおしゃれなフランス発の「ブロックロディア」。豊富なサイズの中でも、手の中に収まる「No.11」（縦 105 ×横 74mm）の愛用者が多いようです。

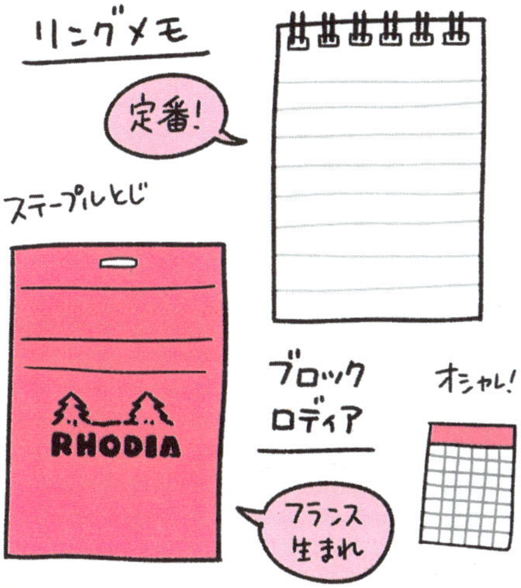

据え置き、持ち歩き、1つは欲しいこんなメモ帳

デスクに置いておくと重宝するのが、数百枚のメモ用紙を接着剤でとじ、１枚ずつ切り離して使える「ブロックメモ」。ユニークなデザインのものも多いので、インテリアのアクセントにもなります。
また、名刺大のカードを数枚、革製ケースに入れて持ち歩く「ジョッター」も最近注目されています。かさばらず携帯性に優れ、いつでもどこでも思いついたことをぱっと書き留め、あとで管理するという使い方ができます。

世界の定番、日本の定番

世界の芸術家、文豪に愛されたメモ帳

19世紀後半、フランスで生まれた「モレスキン」は、オイルクロス張りのしっかりした表紙、ゴムバンド、拡張ポケットなどが特長。ゴッホやピカソ、ヘミングウェイなど有名人が愛用し、中でもイギリスの紀行作家、ブルース・チャトウィンが「旅のお供」として持ち歩いたことで世界的に有名に。1986年（昭和61年）に生産終了の憂き目に遭いますが、1997年(平成9年)、イタリア・ミラノの小さな出版社（現モレスキン社）によって復刻されました。

高度成長期のサラリーマンの味方

時は高度成長期まっただ中の1961年（昭和36年)、それまで日本でメモ帳といえば卓上用が一般的でしたが、外回りのサラリーマンが持ち歩けるようにと、ミドリから「ダイヤメモ」が販売されました。
取り出しやすさに配慮した、胸ポケットより一回り小さい縦123×横76mm（Mの場合）のサイズ、角が丸いデザイン、リングとじ――。今では珍しくない仕様ですが、それらを生み出した原点といえるのがこのメモ帳です。

雨ニモマケズ風ニモマケズ

今、測量業務用がスタイリッシュ

もともとは測量業務用として作られたコクヨの「測量野帳」が、今にわかにブームです。縦 165 × 横 95 × 厚さ 6mm のスリムサイズと、野外での使用に堪える厚めで硬い表紙が特長。立ったままでも書きやすいなど実用性も◎。雨に強い耐水タイプの製品も用意されています。
メモ帳としては、方眼罫の「スケッチブック」がうってつけ。飾り気のないデザインも逆に受け、熱心な愛好家が増えています。

水中でも書ける耐水メモ帳がスゴイ！

オキナの「プロジェクト耐水メモ」は、ポリプロピレンをベースにした合成紙（ユポ紙）を使用しており、「水に濡れても」どころか「水の中でも」書けます。水に浮くので水中に落としても見つけやすく、屋外はもちろん、風呂場やキッチンでの使用にも適しています。
本製品のサイズは B7 判（縦 120 × 横 78mm）ですが、B6 判の「プロジェクト耐水ノート」も用意されています。

〝カワイイ〟と〝文房具〟の蜜月

1970年代、〝カワイイ＝Kawaii〟の萌芽

日本発の〝カワイイ＝Kawaii〟という言葉は、今やファッションや音楽、さらにはアートにまで影響を及ぼすポップカルチャーとして世界に認められています。そして、以前から日本において〝カワイイ〟は、本来実用性重視の「道具」としての文房具にも影響を及ぼし、最近では後出の「デコレーション文具」へとガラパゴス的進化を遂げています。

そもそも〝カワイイ〟文化と文房具との蜜月が始まったのは、1970年代からだと筆者は考えています。その理由は、当時2つの出来事があったからです。

1つは、1971年（昭和46年）に東京・新宿に「サンリオ ギフトゲート」（※1）がオープンしたこと。この3年後に、現在に至るまで世界共通言語の〝カワイイ＝Kawaii〟のアイコンとなるハローキティが誕生、女の子たちのハートをわしづかみ

※1 **ギフトゲート**
サンリオの直営店で、東京・新宿アドホックビルに第1号店がオープン。

にしました。これ以前にもキャラクターものの文房具は存在しましたが、そこに行けばいつでもサンリオキャラクターの文房具や雑貨が買える、いわば「カワイイ文具の発信地」が誕生したことの意味は大きかったことでしょう。

もう1つの出来事は、意外に思われるかもしれませんが「蛍光ペン」の登場です。ギフトゲートの開店と同年に、ドイツのスタビロが世界初の蛍光ペン「スタビロボス」を発売。その数年後には、日本でも各社から蛍光ペンが発売されました。重要な文章の上をなぞり強調する、というのが蛍光ペンの本来の役割ですが、それまで見たことのない鮮やかな発色にときめいた人も多かったのではないでしょうか。ほどなくして、世の学生の教科書やノートは蛍光ペンで華やかに彩られることになりますが、文房具に実用性以外の〝キレイ〟〝カワイイ〟という価値を見出すきっかけとなったエポックメイキングなアイテムだと思います。

1980年代、機能が〝カワイイ〟を生み出す

1980年代にも、デコレーション文具の系譜にあたるであろう製品が登場します。それが1980年（昭和55年）に米国で発売され、翌年には日本でも販売が開始されたのり付きメモ、3Mの「ポスト・イット」です。

発売当初、サイズは7・5cm四方の正方形、カラーは黄色の製品のみでしたが、消費者のニーズに応えながらサイズも色も種類を増やしていきました（※2）。以降、便利さはもちろんのこと、遊び心が駆り立てられる「貼って、きれいにはがせる」という機能も相まって、学生からOLまでがノートやデスク周りにペタペタ貼るなどして人気を集めました。そしていまでは、実用性よりはむしろ〝カワイイ〟からという理由で、多種多様なデザインののり付きメモ（ふせん）が存在するのはみなさんご承知の通り。

見た目だけでなく、文房具の機能性が、思いもよらず〝カワイイ〟を生み出すことの先例として挙げておきたい一品です。

2000年代、〝デコる〟ための文房具が誕生

2008年頃から女性を中心にブームになったのが「マスキングテープ（マステ）」です。もともとマスキングテープは塗装などを行う際に、塗ってはいけない部分を保護するために貼るためのもの。しかし、紙製ならではの色や質感と、簡単に手でちぎれ、テープの表面に絵や字が書けるなどの特性に着目し、暮らしの中で用いたりクラフトアートに使用したりする女性たちが急増。これを受けてマスキングテープメーカーのカモ井加工紙が、カラフルで〝カワイイ〟デザインの「mt」を発売し、さらにマスキングテープは市民権を得ました。

その用途としてよく見かけるのが、紙や品物を飾り付ける〝デコレーション〟です。色々な素材に貼れて、塗料や接着剤を使わず手軽に〝デコる〟ことができるのがその理由。本来の目的とは違った使い道が見つかったことで、マスキングテープは生まれ変わりました。同様に、本来持つ機能を〝デコる〟という目的に特化させた文房具たちが、現在隆盛を極めています。シールやスタンプはもちろん、ラメ入りマーカーやカラフルな筆ペン、プラスの「デコラッシュ」（※3）などは、その最たるものでしょう。

かくして、〝カワイイ〟と文房具の蜜月は、これらのデコレーション文具を産み落とすに至ったのです。

※2 ポスト・イットのバリエーション
世界で約4000種類、日本だけでも約500種類以上あるといわれる。

※3 デコラッシュ
小中学生を中心に人気の、さまざまな模様を紙に転写できるテープ。131ページ参照。

chapter

3

切る。貼る。留める。

【カッターナイフ】

Cutter Knife

〝研ぐ〟から〝折る〟へ

カッターナイフ登場前夜

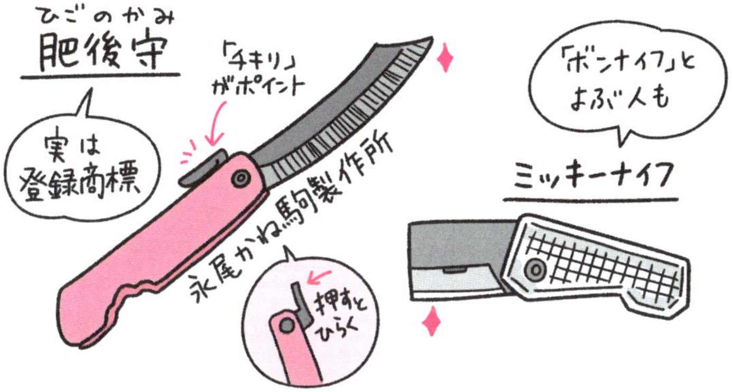

昔は紙などを切る際、カバー付きのカミソリ「ミッキーナイフ」（ボンナイフ）や、「肥後守」に代表される折りたたみ式ナイフが用いられていました。ただ、前者は折れやすく、後者は研ぎなどの手入れが必要でした。ちなみに肥後守は、「チキリ」を押さえながら使用する仕組みが特長で、1894年(明治27年)の登場以来、今も根強いファンがいる名品です。

〝折る刃〟のアイデアは板チョコから

カッターナイフメーカーのオルファ（社名は「折る刃→オルハ」に由来）の創業者・岡田良男は、印刷会社に勤めていた当時、紙を切る際に使うカミソリの切れ味が鈍るとすぐに捨ててしまうのを見てもったいないと感じていました。そんなとき、折り筋が入った板チョコに着想を得て、刃を折るタイプのカッターナイフを発明。1959年(昭和34年）に日本転写紙（現エヌティー）から発売しました。その後、岡田は1967年（昭和42年)、オルファの前身となる岡田工業を創業します。

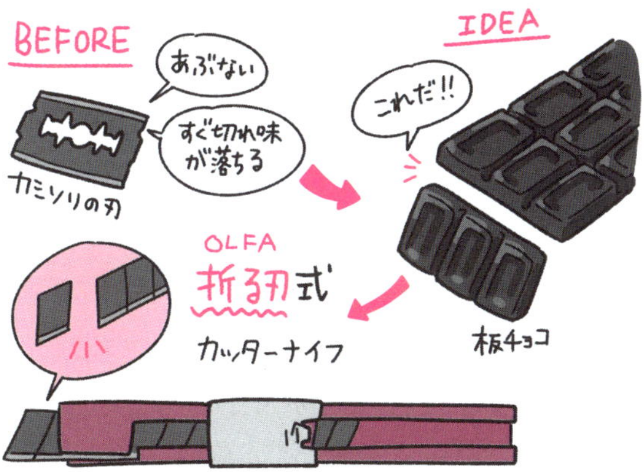

カッターナイフは〝刃〟が命

刃のサイズに規格なし

実は刃のサイズはJIS規格などで定められているわけではありません。ただ、多くのメーカーがオルファの規格に合わせているため、概ね刃先の角度は58度、幅サイズは図の小型刃（S型）か大型刃（L型）が一般的で、替刃も各社互換性があります。刃の幅は、薄手の紙であれば小型刃、厚手のダンボールや発泡スチロールであれば大型刃、というように使い分けたほうが安全です。

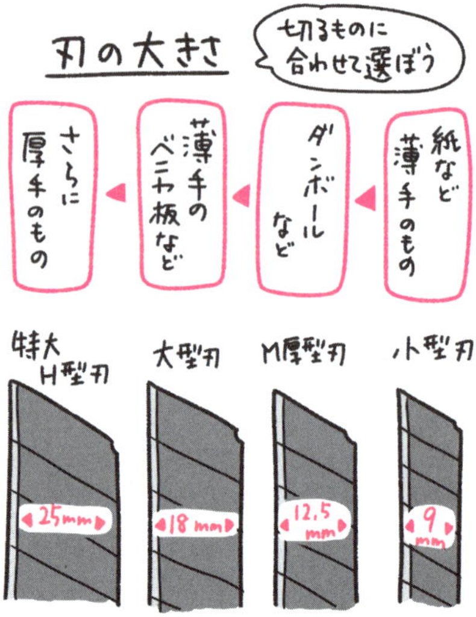

切るもの変われば刃も変わる

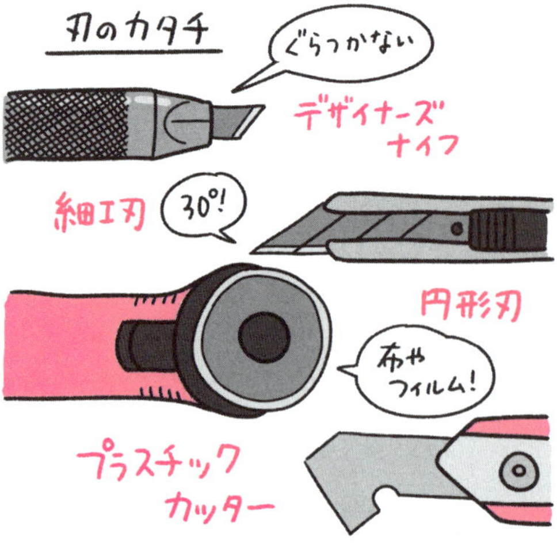

用途に合わせて刃の形状を選ぶことで、作業効率が断然アップします。
刃先が30度と鋭角な「デザイナーズナイフ」「細工刃」は、切り絵やペーパークラフト、模型工作など緻密な作業に最適。布地や革、フィルムなどシート状のものは、「円形刃」を使うと引っかからずに切りやすくなります。アクリル板や塩ビ板などは、切りやすさと安全面を考慮して「プラスチックカッター」の使用がおすすめです。

カッターナイフ使用時の流儀

ほかの道具も吟味すべし

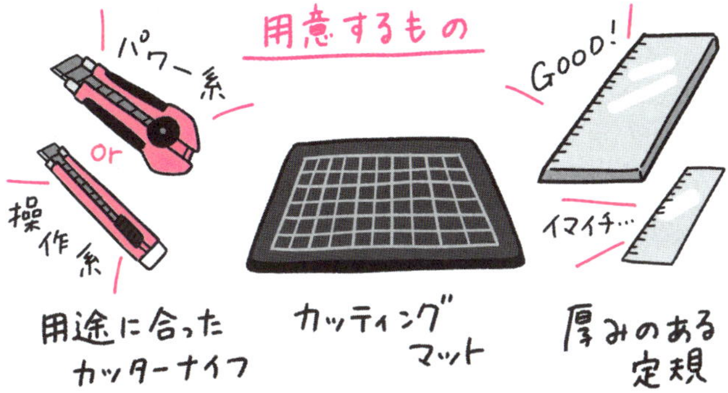

カッティングマットは、単に机を傷つけないためだけに使うにあらず。刃の抵抗を一定にすることでスムーズに切れるというメリットがあり、刃先を保護する役割もあります。
定規は、厚手のアクリル製などがおすすめ。一見丈夫そうな金属製でも、薄いものだと刃が乗り上げてしまいケガの要因となるので危険です。

刃の進行方向に注意すべし

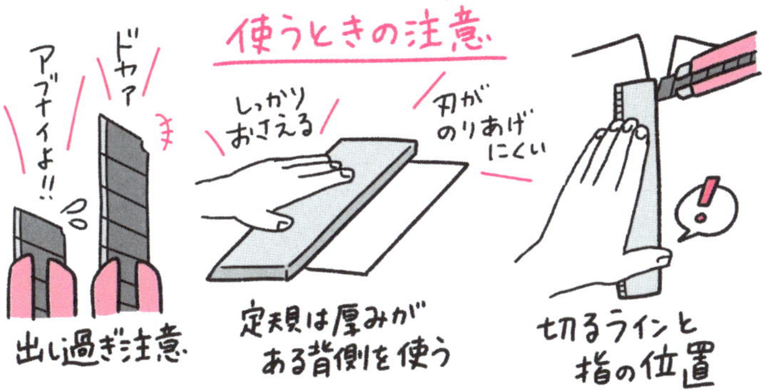

カッターナイフ使用時は、刃を１つか２つ分出すだけで十分。出し過ぎると刃が折れやすくなるので危険です。定規を使う場合は、目盛り側と逆の、厚みのある背側に刃を当てます。また、誤って指を切ってしまう恐れがあるので、刃の進む方向、軌道上に手を置いてはいけません。

一大イベント〝刃折〟は慎重に

コツは〝刃に近いところを持つ〟

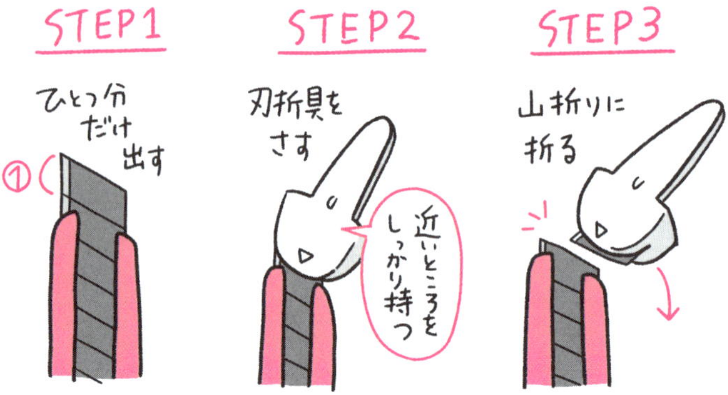

刃を折るときは、まずカッターの後部にある「刃折具（クリップ）」を取り外し、刃を１つ分だけ出します。刃折具の溝に刃を差し込んだら、刃の折り線がある側と反対側（山折り）に倒します。この際、カッター本体と刃折具は、刃に近いところをしっかりと持つのがコツ。怖がって刃から離れたところを持つと、折れた刃が飛ぶなどしてかえって危ないことがあります。

column

石橋を叩いて渡る派は、ペンチを使おう

より安全にカッターの刃を折りたいという慎重派の人には、ペンチを使うことをおすすめします。ペンチで挟むと刃にしっかりと力が伝わり、折りやすい上に、折れた刃が飛んだりすることがないので安心です。

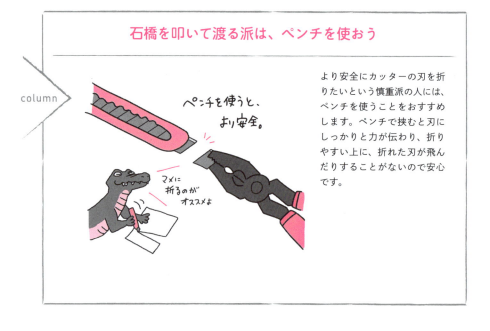

ポイ捨て厳禁！

折った刃を廃棄する際は、必ず粘着テープで包んだり、厚紙に挟んだりして、人にケガをさせない状態にします。そのうえで、「危険」「刃物」などと注意書きをしておきます。あとは自治体のルールに則って処分しましょう。

見た目は貯金箱。その実体は…

安全に刃を折って捨てられるのが、一見貯金箱のようにも見える、オルファの「安全刃折処理器ポキ」。
穴に刃を差し込んで横に倒せば刃が折れ、容器の中に落ちます。折れた刃が溜まったら、容器ごと破棄する使い捨てタイプ。シンプルな構造ですが、意外に面倒な刃の処理が楽になる便利グッズです。コンパクトサイズの「ポケットポキ」もあります。

刃に〝触れない〟

刃を交換する際、鋭利な刃に触れるのはちょっと怖いもの。その点、コクヨの「フレーヌ」は、刃に直接触れずに交換できる構造により安全安心です。そのほか、刃先のフッ素加工により粘着剤が付きにくい、上部にスライダーを配置したことで利き手を選ばないなど、使いやすさにも配慮されています。

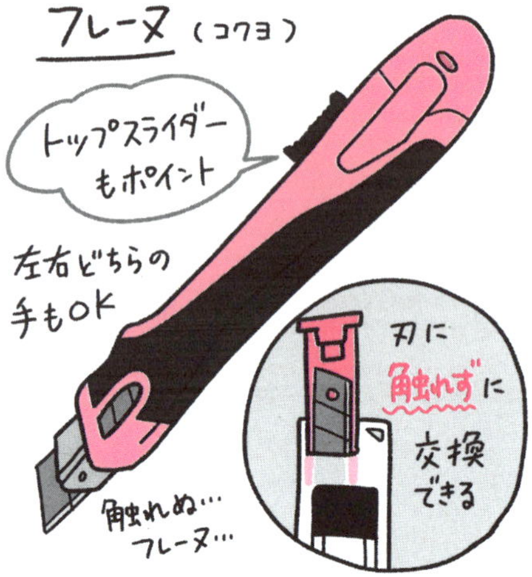

刃を〝折らない〟

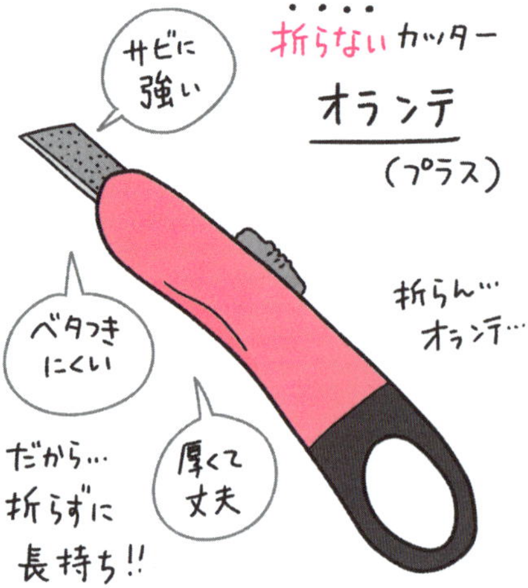

刃を「折る」という進化を遂げたカッターナイフですが、逆に刃を「折らない」という選択をしたのがプラスの「オランテ」。耐久性のある0.5mmの厚い刃を採用し、粘着剤の付着を防止する凸凹表面加工や全面フッ素コーティングで、切れ味が長持ち。いちいち刃を折るのが面倒、怖いといった人にはうってつけの製品です。

刃の〝跡がつかない〟

オルファの「キリヌーク」は、新聞や雑誌の記事などのスクラップ用カッター。
内蔵されたバネが紙に当たる力を一定に保つため、上の紙1枚だけを切ることができ、下の紙に跡がつきません。本体背面のアジャスターで、紙の厚さに合わせてバネの強さを調整することもできます。

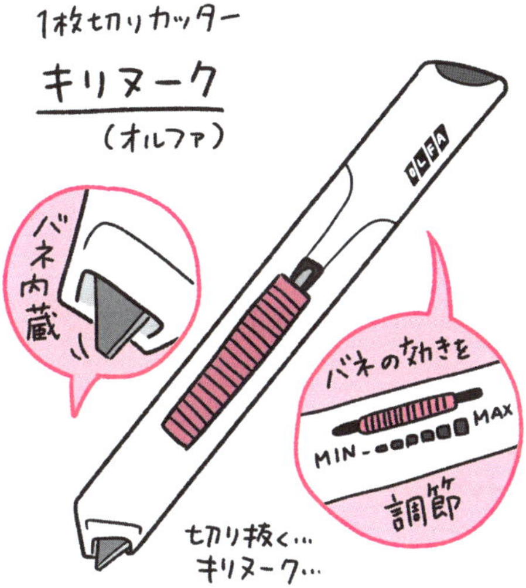

column

〝切った貼った〟のプリント整理

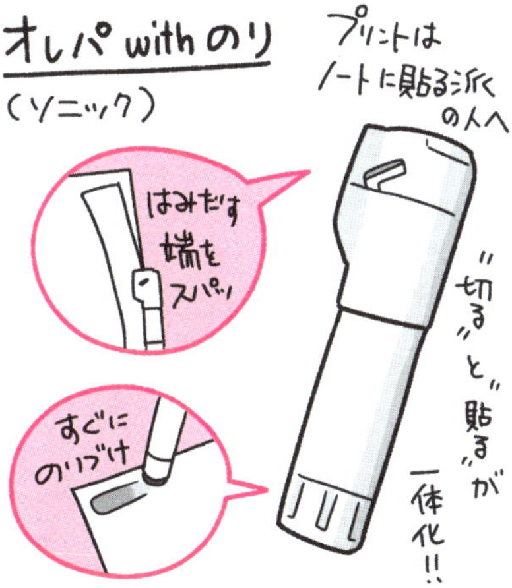

授業でもらったプリントをノートに貼るとはみ出してしまう…。そんな悩みを持つ生徒諸君に朗報です。
ソニックの「オレパ with のり」は、プリントカッターと色が消えるスティックのりが一体になった製品。プリントがはみ出す部分を直線でスパッとカットでき、そのまますぐにノートに貼り付けられる時短グッズです。

【はさみ】

……Scissors

デスクに
ポーチに
リビングに。

イザ!!と
いうとき、
助けて
くれる。

よく見るはさみは舶来品

肝心カシメの洋ばさみ

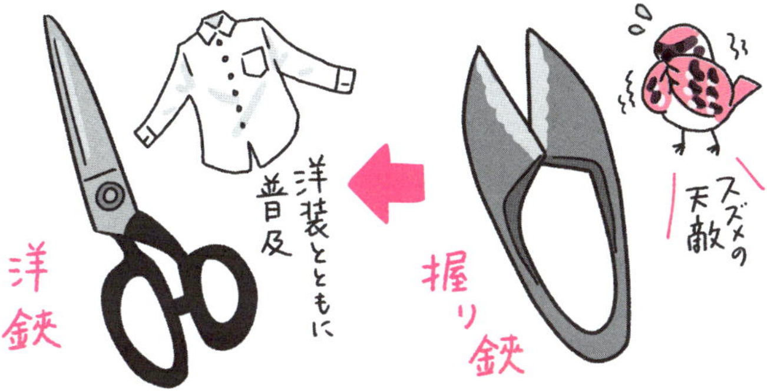

日本では古来、小刀を 2 つ向かい合わせにした構造の「握りはさみ」が用いられてきました。昔話の『舌切りすずめ』に登場するのもこのはさみ。支点にカシメ（要）と呼ばれる芯が取り付けられ、テコの原理で切る「洋ばさみ」が普及したのは、明治時代に入ってからです。

左利きあるあるを言いたい

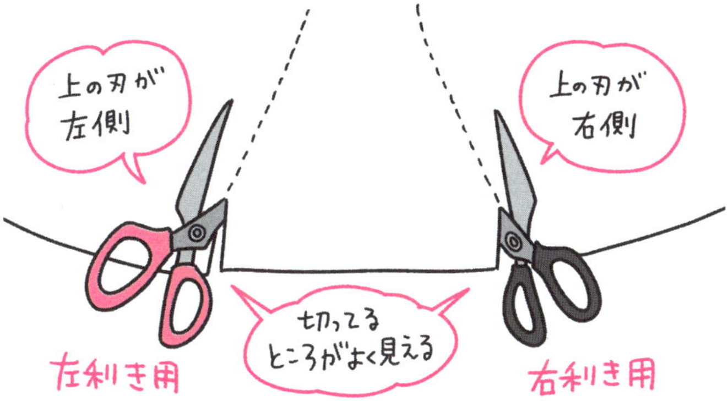

左利きの人が不便を感じるものとしてよく挙げるのが、はさみです。市販されているはさみの多くは右利き用。右利き用はさみは、左利きの人が使ってもうまく切れません。左利きの人は、左利き用はさみを選ぶ必要があるのです。ちなみに、切るとき紙の上に来る刃が切り口よりも右側なのが右利き用、左側なのが左利き用です。

ステンレスが主流ナンデス

事務用はさみの主流はステンレス製です。最近ではフッ素加工により粘着剤が付きにくいものや、軽くて耐久性に優れたチタン製のものなども多く見受けられます。
ロングセラーの「ALLEX　事務用はさみ」（林刃物）もステンレス製。切れ味と耐久性を兼ね備えた機能美溢れるはさみです。

子ども用は安全第一

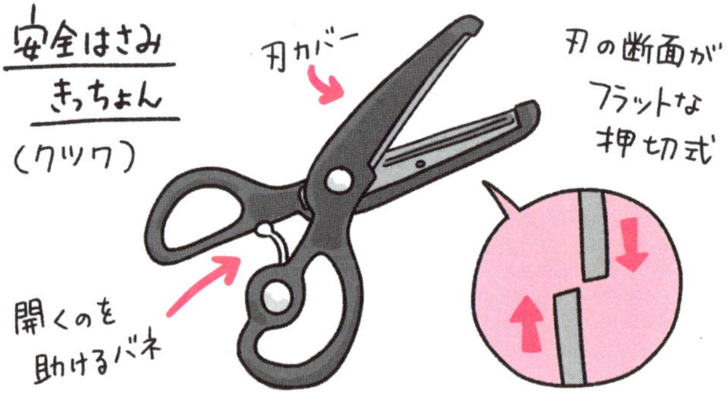

市販されている子ども用はさみの多くは、刃渡りを短くしたり、刃を丸めたりと、安全面に配慮されています。
クツワの「安全はさみ　きっちょん」は、刃がカバーで覆われており、刃の断面がフラットなのでケガをしにくいのが特長。お子さんのはさみデビューにおすすめです。

切れ味の決め手は 30 度

ものを切るのに最適なはさみ刃の角度、約30度をキープする「ベルヌーイカーブ刃」を採用したのがプラスの「フィットカットカーブ」。根元から刃先までどの部分でもよく切れる優れものです。事務用以外に、調理用や万能はさみも発売されています。

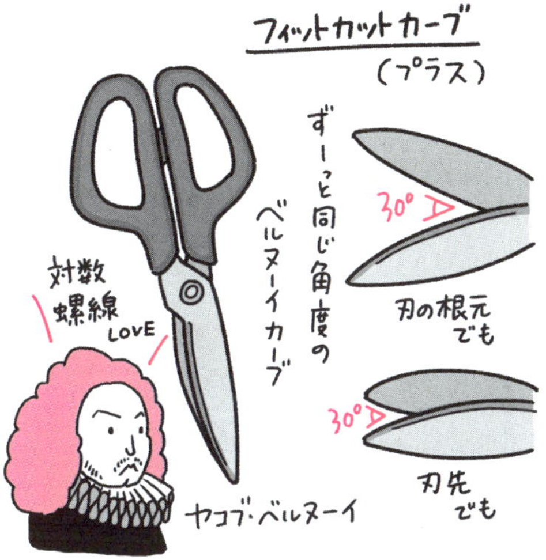

ダンボールもサクサク切れる

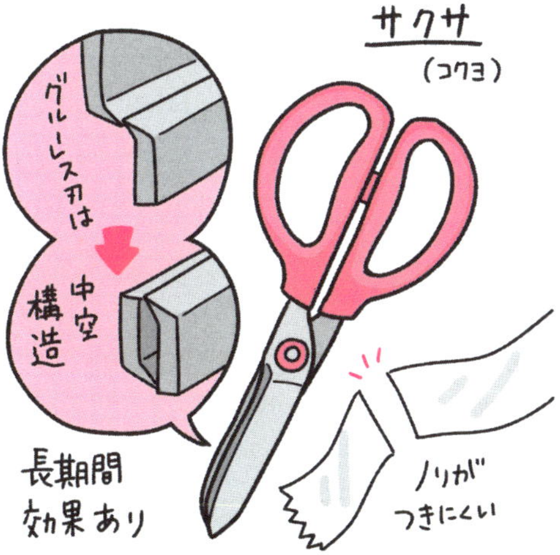

コクヨの「サクサ」は、刃の角度が刃先にかけて徐々に広がっている「ハイブリッドアーチ刃」を採用。ダンボールなどの厚紙も驚くほど楽に切れます。中でも、中空構造の刃により粘着剤が付きづらく、切れ味が長持ちする「グルーレスタイプ」がおすすめです。

【のり】

……… Glue

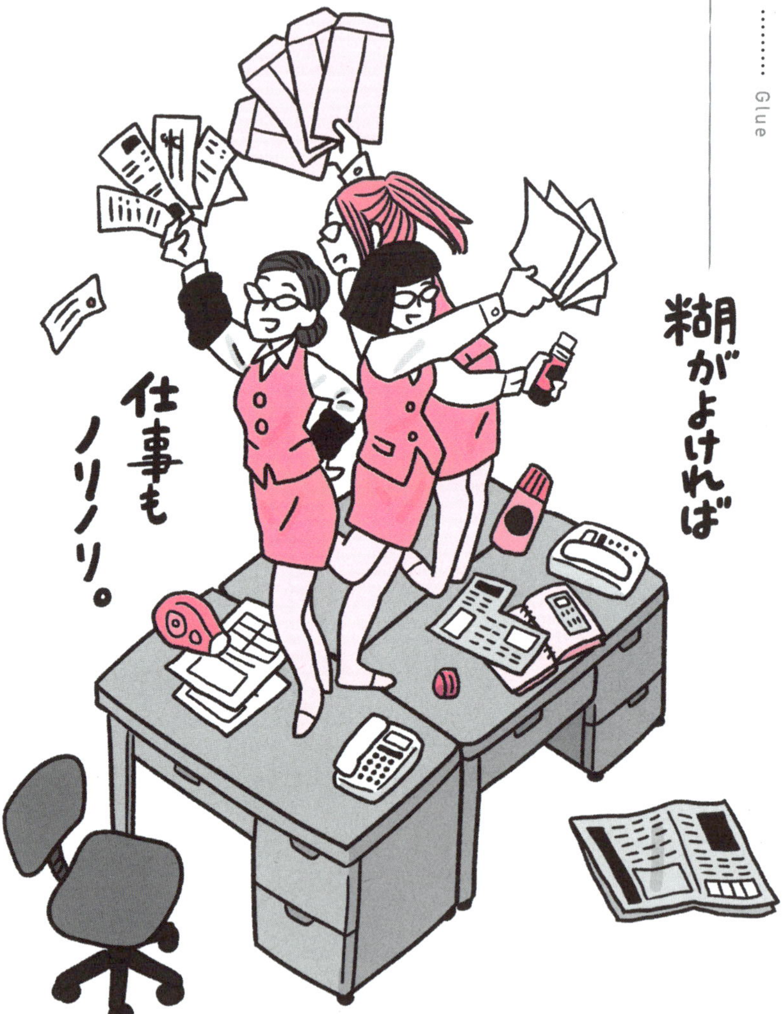
糊がよければ
仕事もノリノリ。

固体から液状へ

タピオカ、とうもろこし…なんだかおいしそう

江戸時代までは、紙どうしをくっつけたり、布を固めたりするのに米粒やお粥を用いていましたが、これには腐りやすいという欠点がありました。しかし、明治 20 年代に腐らないでんぷんのりが開発され、1895 年（明治 28 年）に不易糊が、1899 年（明治 32 年）にヤマト糊がそれぞれ発売され、日本中に普及しました。現在、でんぷんのりの主原料には、タピオカやとうもろこしなどが使われています。

ふかふかスポンジが心地いい

液状のりの代名詞といえる「アラビックヤマト」（ヤマト）は、1975 年（昭和 50 年）に発売。手を汚さずに使える形状、スポンジキャップによる塗り心地のよさが画期的でした。合成樹脂を主成分とし、乾きが早く接着力が強いのも特長。
ちなみに商品名は、明治末期から輸入されていたアラビアゴムを使った液状のり「アラビアのり」に由来します。

リップスティックみたい

クルッと回すとひょっこり出る

スティックタイプの固形のりは、1969年（昭和44年）にドイツのヘンケルがリップスティックの構造にヒントを得て開発、「プリット（Pritt）」として発売したのが始まりです。
日本初のスティックのりは、1971年（昭和46年）にトンボ鉛筆が発売した「ピット」。いずれも現在に至るまで使われている固形のりの定番です。

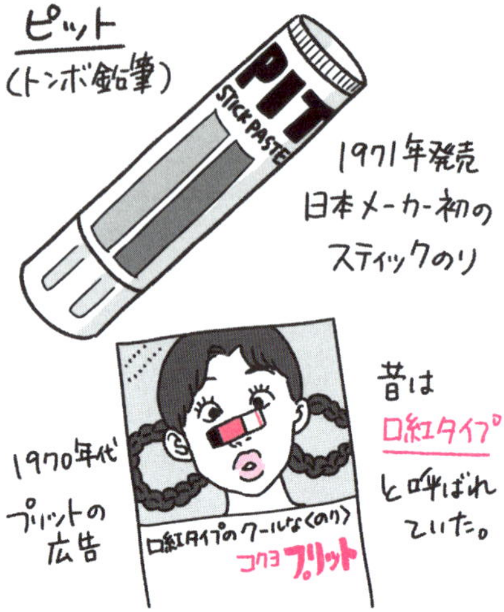

塗ったところが一目瞭然

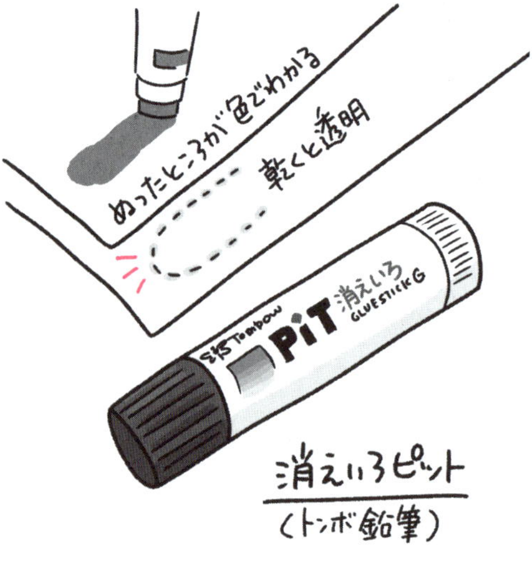

手を汚さずに細かい部分にのり付けできる便利なスティックのりですが、どこにのりが付いているかわかりづらいという弱点がありました。これを克服したのが、〝塗って青色、乾けば無色〟の「消えいろピット」（トンボ鉛筆）。1993年（平成5年）に発売された、はみ出しや塗り残しを回避するアイデア商品です。

最新進化形は〝テープ〟

よりきれいに、より細かく

テープのりは、テープにのりが付いており、紙の上をスライドさせることでより細かく、スマートにのりが塗れる利点がありますが、のり切れが悪いという欠点がありました。

2005年（平成17年）にコクヨが発売した「ドットライナー」は、のりがドット（点）状のため軽いタッチできれいに塗ることができ、のり切れもよく、いまや定番商品となっています。

糊付けするスポットに〝カチャッ〟

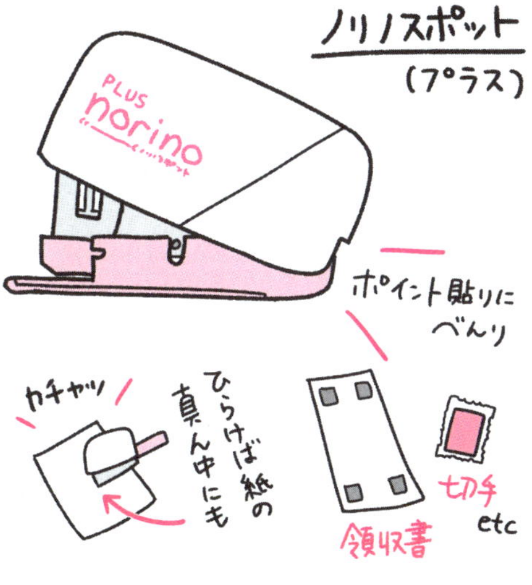

プラスの「ノリノスポット」は、ホッチキスによく似た形のケースに収納されたテープのり。差し込み口に用紙を挟み、カチャッと鳴るまで本体を押すと、8.4×6mmの長方形型で用紙にのりが付きます。

紙を手に持ったまま使えるので、机の上にスペースがなくてものり付け可能。紙の隅や端などスポット的にのり付けできるため、のりの使用量も最小限で済みます。コンパクトサイズで携帯もOK。

【テープ】……Tape

〈透明テープの誕生〉

マスキングテープもセロファンテープも生みの親は同じ

アメリカの3Mの若手エンジニア、リチャード・ドルーは、1925年に塗装工用のマスキングテープを、そして1930年には透明なセロファンに接着剤を塗布したセロファンテープを開発しました。これらは「スコッチ」というブランド名で商品化され、またたく間に全米に普及しました。

国産第一号はGHQの依頼から

第二次世界大戦後の1947年(昭和22年)、GHQ（連合国軍最高司令官総司令部）からの依頼を受け、当時医療用絆創膏メーカーだったニチバンが国産のセロファンテープを製造。1948年（昭和23年）から市販を開始しました。
ちなみに、現在総称のように用いられている「セロテープ」は、ニチバンの商標です。

書ける、透ける、貼り直せる

「メンディングテープ」はその名の通り、破れた紙を「修繕」するためのテープ。表面がざらざらなので鉛筆やペンで文字が書くことができ、コピー機で複写しても目立ちにくいという特長があります。
また、粘着力が長期間持続し、変色しにくいので、長期保存の書類に適しています。貼った直後なら貼り直しができるため、付箋代わりとしても活用できます。

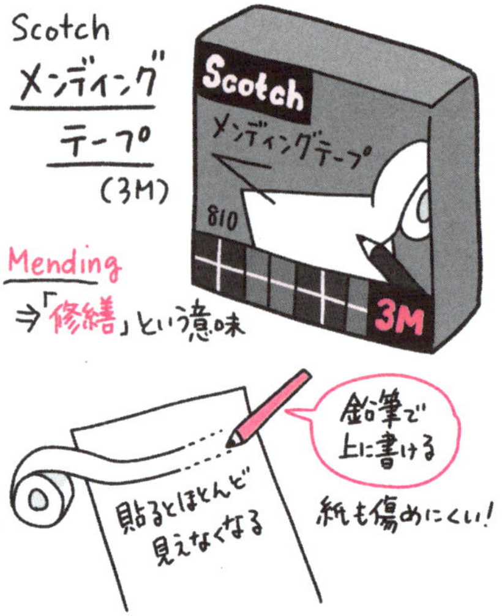

のりの代わりに両面テープ

〝貼る〟のではなく〝貼り合わせる〟のが目的の両面テープ。日本で定番といえば、1966年（昭和41年）に製品化されたニチバンの「ナイスタック」でしょう。
紙製パッケージとカッターをドッキングさせた馬蹄型ホルダーが、使いやすいとロングセラーに。いまでは粘着力別や素材別、機能別にたくさんの製品が用意されています。

貼るだけが目的じゃもったいない

〝地味なほう〟を探すほうが難しい

和紙を基材とした剥がしやすい弱粘着の「マスキングテープ」は、元々は塗装の際に保護したい部分を覆う役割のテープです。しかし2008年(平成20年)、カモ井加工紙がおしゃれでかわいいマスキングテープ「mt」を発売し、大ヒット。文字を書ける、重ね張りができる、曲線にも貼れるといった特性を生かし、いろいろなデコレーションに用いることがブームになりました。

column

1台3役。デコレーションのためのテープ

ノートや手紙にさまざまな絵柄のテープを転写するアイテムがプラスの「デコラッシュ」。テープを交換することで柄の入れ替えができるだけでなく、文字のマーカーや、修正テープとしても使えるようになります。
用途はマスキングテープに近いですが、構造的には修正テープそのもの。きれいにはがすための専用消しゴムも発売されています。

ガムテープはガムテープにあらず？

俗に「ガムテープ」と呼ばれている幅広の粘着テープは、正確には「クラフト粘着テープ」という名称です。
本来のガムテープは、水溶性ののり（ガム）が塗られたもので、切手のように水に濡らして使うテープのこと。この本来のガムテープは意外にも、発明王のエジソンがベニヤ合板を固定するために発明したものです。故に、水に濡らさずそのまま使えるクラフト粘着テープは、ガムテープではない、ということになります。

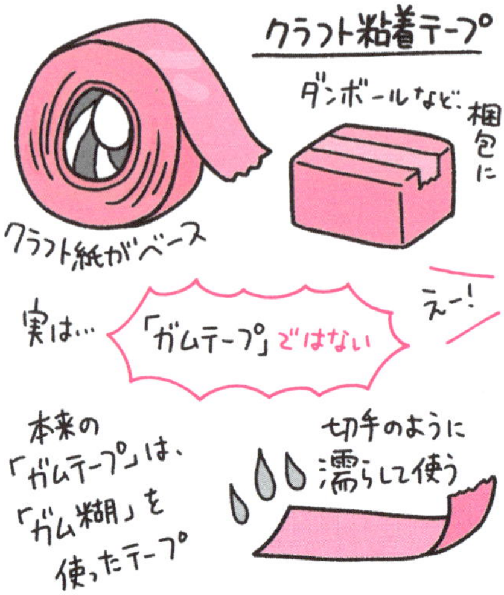

よりタフで、よりキレるヤツ

「布粘着テープ」は、クラフト粘着テープに比べ、粘着力が強く丈夫で、手でもまっすぐ切れるといった優位点があります。一方で、ちょっと重く、コストもお高め。
布粘着テープは重梱包用、軽くて低コストのクラフト粘着テープは軽梱包用と使い分けるのがよいでしょう。

透明だから見た目もスマート

セロファンテープ同様透明ですが、素材にポリプロピレンを使用しているのが「OPP テープ」です。伸縮性はありませんが、透明なので目立たず、粘着力が強い、コストパフォーマンスに優れたテープです。
強度があるため手ではきれいに切れませんが、最近では手で切れるタイプも販売されています。

最終的には剥がしますけど何か？

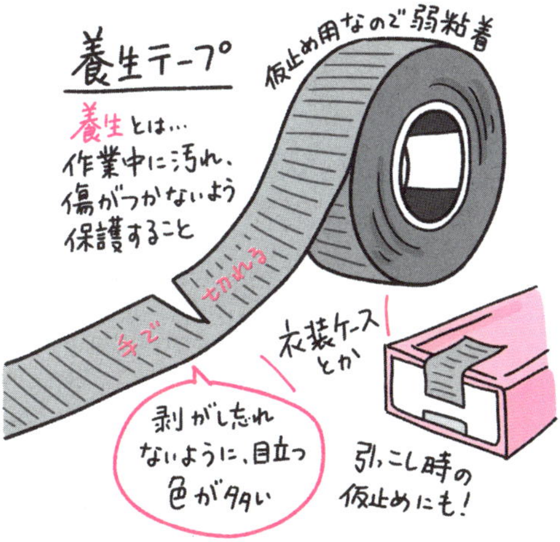

「養生テープ」は、粘着力が弱いため剥がしやすく、剥がした後に粘着剤が残らないテープ。
「養生」とは、建築や引っ越しの現場で、壁や柱などにキズを付けないように保護するシートや板のこと。これを仮留めするのが「養生テープ」です。
現場で手早く作業しやすいように手で切りやすく、剥がし忘れのないように緑や青など目立つ色のものが多いです。

【のり付きメモ・ふせん】

……… Tag

「私」を拡張する、
外部記憶装置」。
ココ!!
おもしろかったよ。
電話あったよー
コレはいいアイデアじゃないっ？
こっちも捨てがたいよ
ハンコはココね

失敗はポスト・イットの母

日曜日の教会で it は生まれた

1968 年（昭和 43 年）、アメリカ 3M の研究者、スペンサー・シルバーは、強力な接着剤の研究を行っている中で、「よく付き、簡単にはがれる」接着剤を作り出しました。これは失敗作と思われましたが、1974 年（昭和 49 年）、別部署の研究員であるアート・フライが、教会で賛美歌集のしおりが滑り落ちるのを見て、のり付きメモ用紙のアイデアを思いつきました。

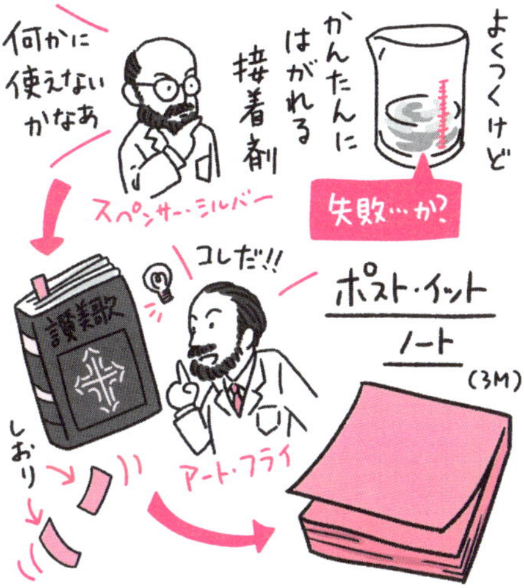

秘書たちのアツい支持で商品化

フライは試行錯誤の末、ブロックタイプののり付きメモ「ポスト・イット ノート」を開発、社内の秘書たちに実際に使ってみてもらったところ、これが大好評。これを受け 1977 年（昭和 52 年）、アメリカの 4 大都市でテスト販売を開始するものの、その売れ行きは厳しい結果に。しかし、サンプルを配布した優良企業の秘書たちからの注文が殺到、晴れて 1980 年（昭和 55 年）に全米発売が決定しました。

ブロックとふせん、あなたはどっち？

日本における「ポスト・イット」の主流は、ブロックタイプとふせんタイプ。
面積が広めで多く書き込みできるブロックタイプは、メモ用紙やノート代わり（次ページ参照）として使われることが多く、小さめで細長いふせんタイプは、大事なページを示すマーカー（ふせん）、あるいは本のしおりなどとして用いられています。

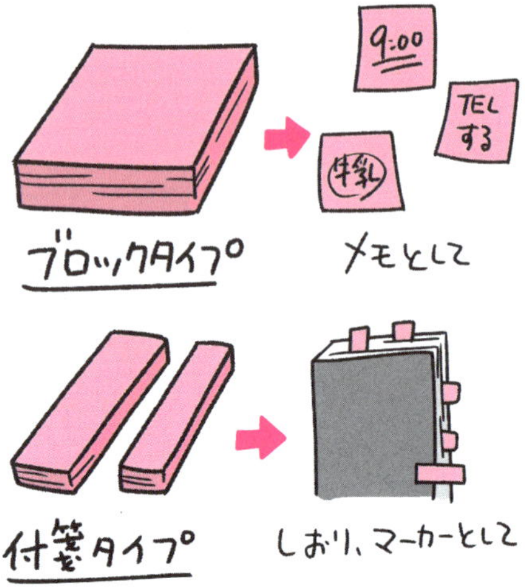

日本の要望から生まれたふせんタイプ

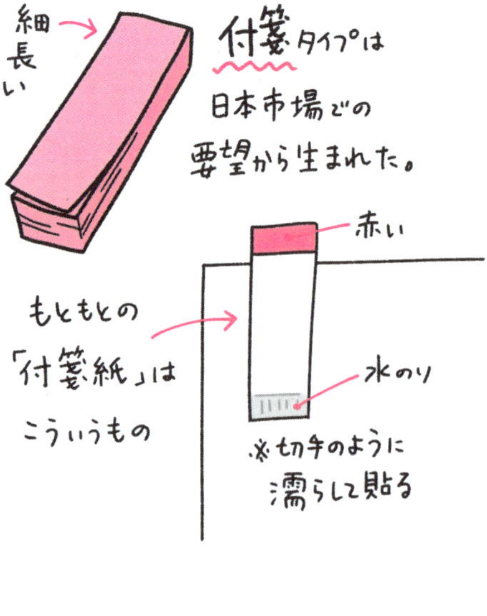

1981年（昭和56年）、日本でも「ポスト・イット ノート」が発売されましたが、当初はブロックタイプのみで、売行きも芳しくはありませんでした。しかし日本の、特に官公庁からの要望に応え、ふせんタイプを販売したところ、これが大ヒット。以降、認知度が高まり、オフィスの必需品となりました。

ペタペタ貼ってノートを作ろう

ふせんノートのためのふせん

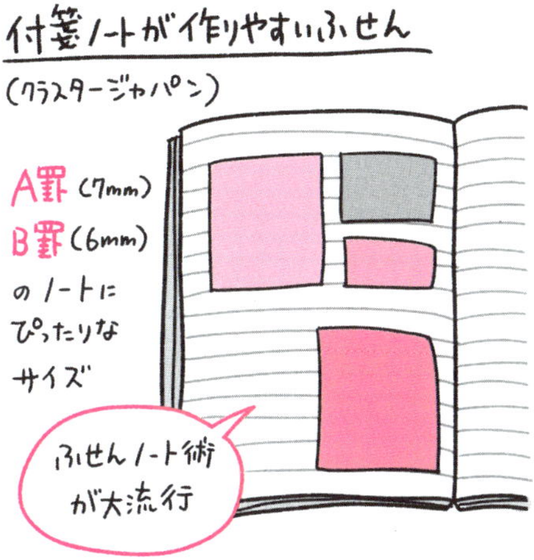

ノートを台紙代わりにして、ふせんを貼って作る「ふせんノート」をご存じでしょうか。情報を小分けにまとめられ、貼り直しや色分けができるため理解度が上がると巷で評判。そのふせんノート用のふせんが、クラスタージャパンの「付箋ノートが作りやすいふせん」です。
ノートの罫線の幅（A 罫＝7mm、B 罫＝6mm）に合わせたサイズなので、ノートのスペースを有効活用できます。

ノートに貼れば日記に早変わり

ケープランニングの卓上日めくり付せんカレンダー「himekuri」は、卓上に置くカレンダーの 1 日分が付箋になっていて、日付けの付せんをノートに貼り、日記や手帳として使用することもできます。
デザインには種類があり、2025 年版では、人気キャラクターとのコラボ商品も発売されました（イラストは初期デザインのもの）。

思い立ったらどこでもふせん

カンミ堂の「ココフセン」は、ケースの裏側にシールが付いており、ケースごと本やノートなどに貼り付けて持ち歩けるふせん。シリーズ商品として、身の回りの持ち物に挟むタイプの「クリップココフセン」や、クレジットカードサイズで厚さわずか 1.5mm というカードタイプの「ココフセンカード」なども販売されています。

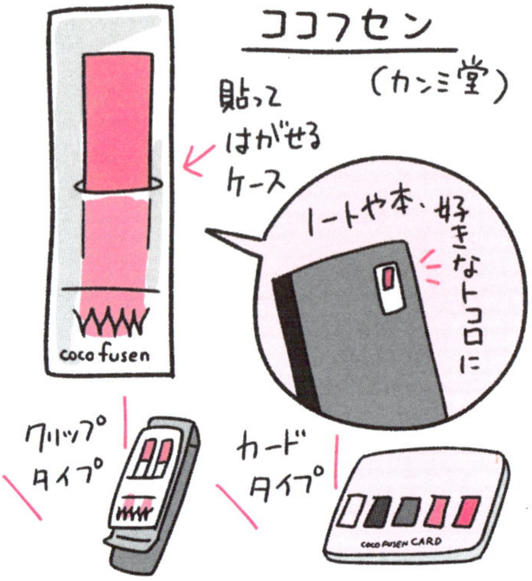

ふせんの長さは自分で決める

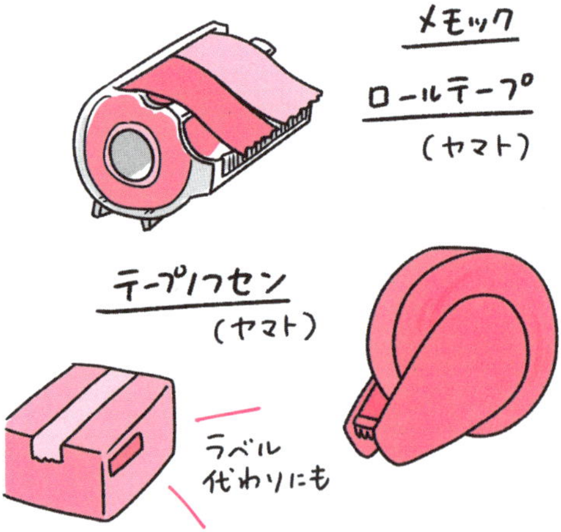

通常は、必要なサイズごとにふせんを買うことが多いでしょう。しかし、ロール型のふせんが１つあれば、好みの長さで切り取れ、ラベルやデコレーションなど活用の幅も広がります。ヤマトの「メモックロールテープ」は、紙とフィルムが用意されており、幅サイズも４種類と豊富。同じくヤマトの「テープノフセン」は、携帯性に優れるポケットサイズで、鮮やかな蛍光カラーの紙タイプです。

限りなく透明に近いふせん

書籍や書類にふせんを貼ると、当然ながらその部分が隠れて内容が読めなくなってしまいます。そこで登場したのが、透明タイプのふせん。
ニトムズのステーショナリーブランドであるSTÁLOGYの「大きな半透明ふせん」は、下が透けて見え、その上に書き込みができます。直接書き込んではいけない資料に追記する際などに便利です。

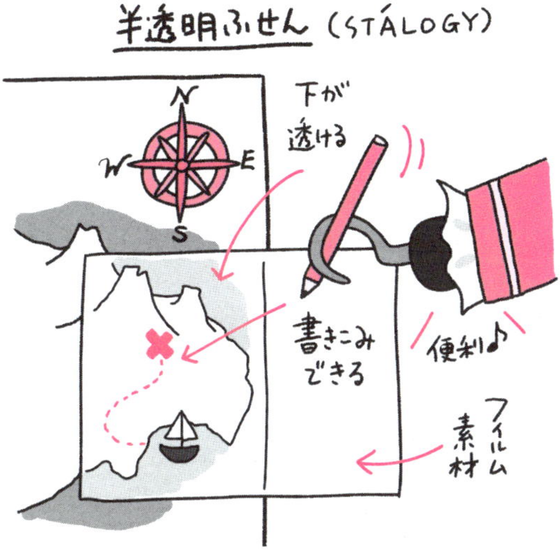

ページのどこ？をわかりやすく

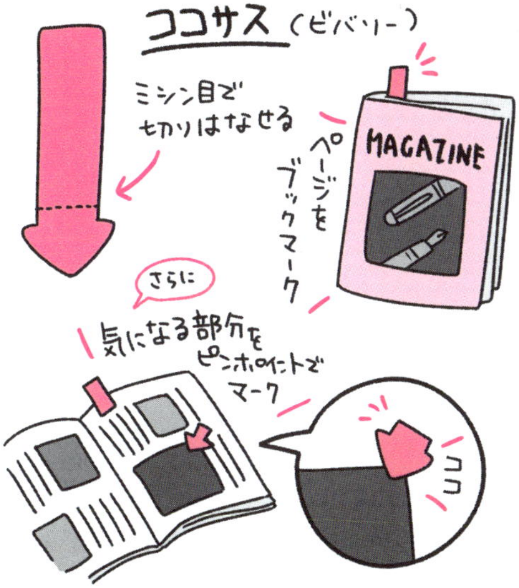

ビバリーの「ココサス」は、矢印型の付箋をミシン目で上下に分離でき、上部の軸部分はページのしおり（ブックマーク）に、下部の矢じり部分は、ページ内の該当部分に貼ることができます。これでページ内のどこを指しているのか迷うこともありません。

【ステープラー】

Stapler

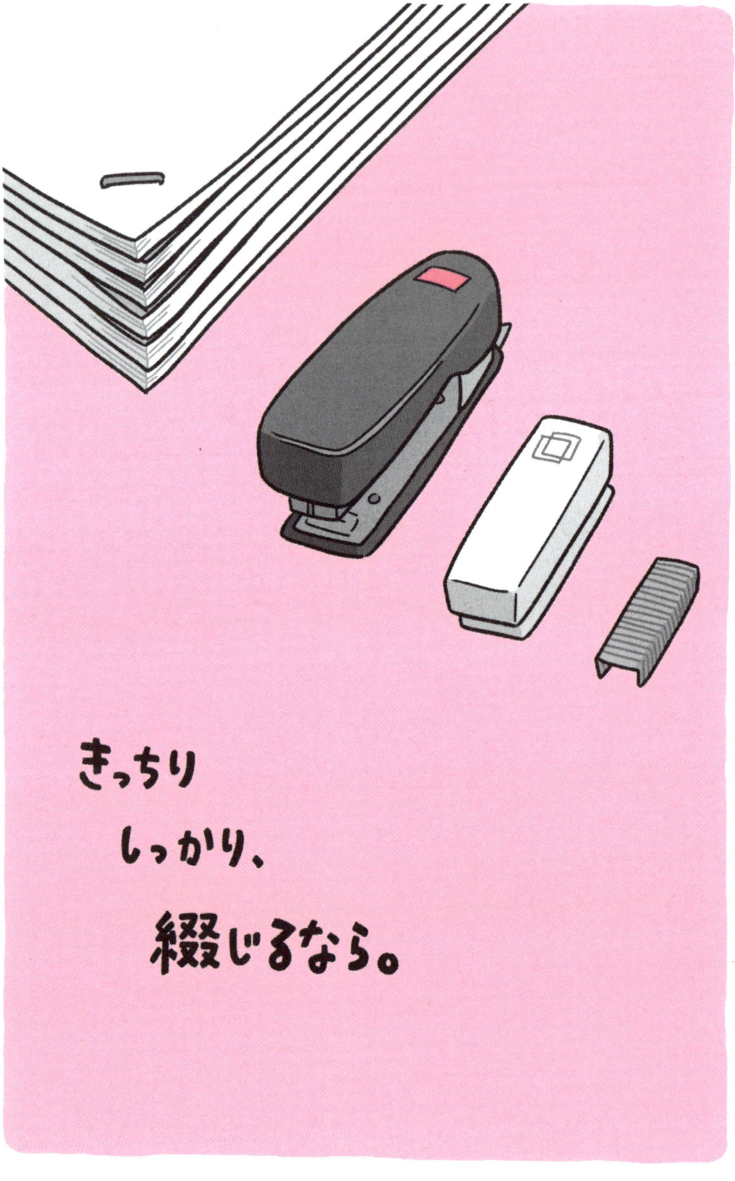
きっちり
しっかり、
綴じるなら。

人はそれを「ホッチキス」と呼ぶ…

〝ホッチキス〟はメーカー名

ステープラーの原型は、18 世紀のフランスで生まれ、その後、今の形に近い針を詰めて紙をとじる仕組みのものがアメリカで開発されました。日本では「ホッチキス」という名称が浸透していますが、JIS 規格では「ステープラー」となっています。ホッチキスと呼ばれる理由は、伊藤喜商店（現イトーキ）が 1903 年（明治 36 年）に日本で初めて輸入、販売した製品がアメリカの E.H. ホッチキスのステープラーだったから、という説が有力です。

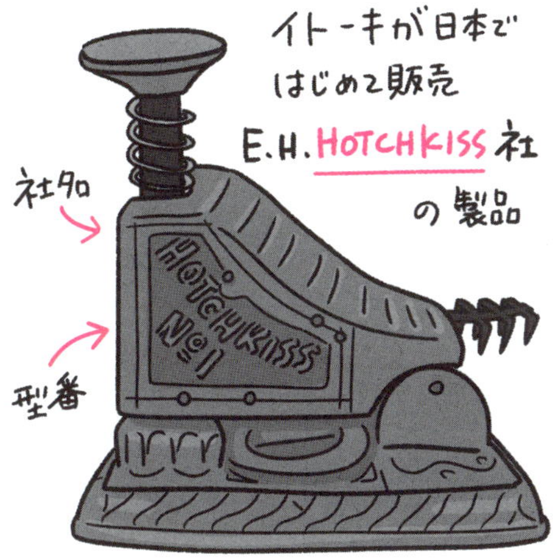

名機「SYC・10」爆誕！

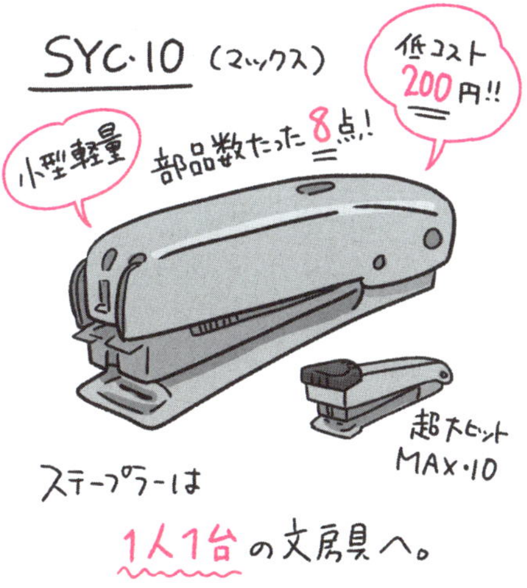

大正時代になると、日本でもステープラーが生産されましたが、一般に普及したきっかけは 1952 年（昭和 27 年）、山田興業（現マックス）の「SYC（シック）・10」の登場でした。小型軽量で低価格の同製品は大好評。後に社名変更に伴い「MAX・10」と名称を変え、大ヒット商品となりました。
これにより、ステープラーは 1 人で 1 台持てるほど普及し、「マックス」や「ホッチキス」がステープラーの代名詞として定着しました。

針が紙に〝クリンチ〟する

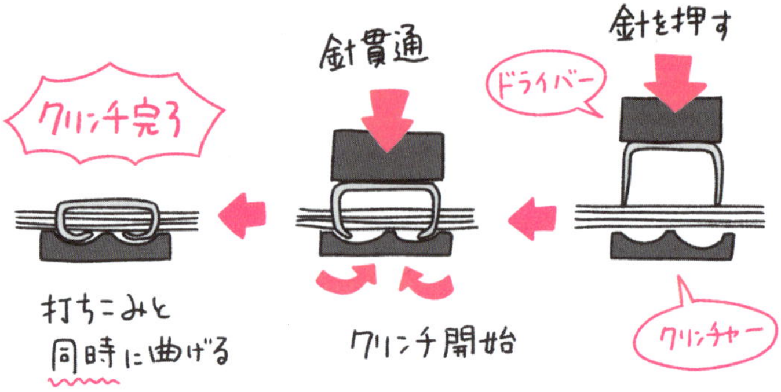

意外と知られていないステープラーが紙をとじる仕組み。まずバネで押し出された針は、上部の針を押す部分(ドライバー)で紙に打ち込まれます。そして、紙を貫通しながら下側にある曲げ台(クリンチャー)でプレスされ、内側に折れ曲がる（クリンチ）という機構になっています。

ムカデからコの字への変遷

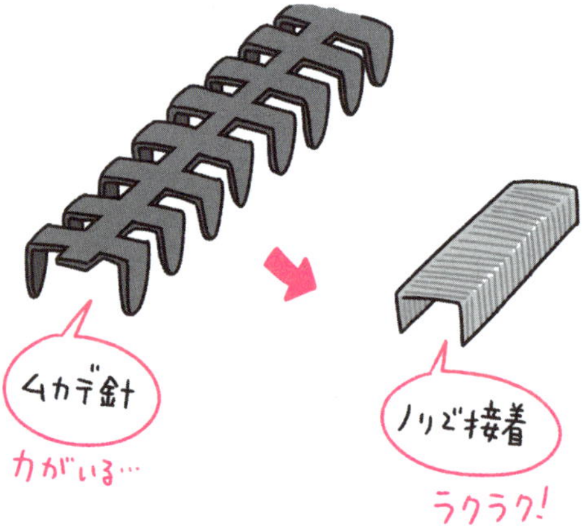

ステープラーが開発された当初は、ムカデ型の針（金属板）を装填し、かなりの力で針を打ち抜くことで紙をとじていました。

現在よく目にするのは、のりで接着されたコの字型の針です。一般的な10号（No.10）針の場合、1連は50本で、1箱に20連（1000本）の針が入っています。

テコの原理にありがとう

大きさの大小を問わず、ステープラーにはテコの原理が用いられています。その恩恵を顕著に感じられるのが、業務用の大型ステープラー。
支点と力点の間を長く、支点と作用点の間を短くすると小さい力で大きな力が出る、という原理を応用し、厚い紙や枚数の多い紙でも軽々ととじることができるのです。

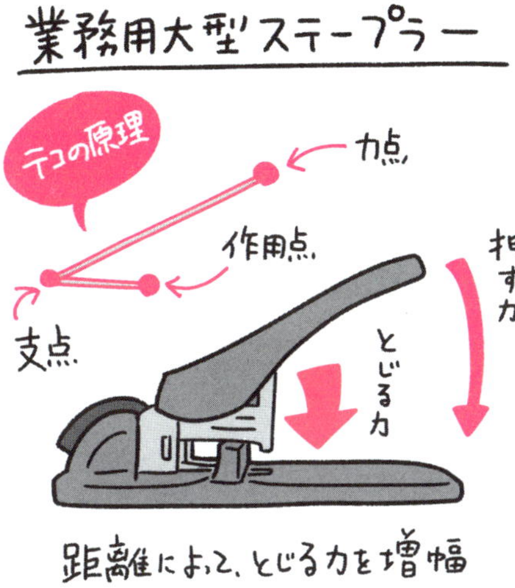

〝テコ〟マシマシで、女性にもおすすめ

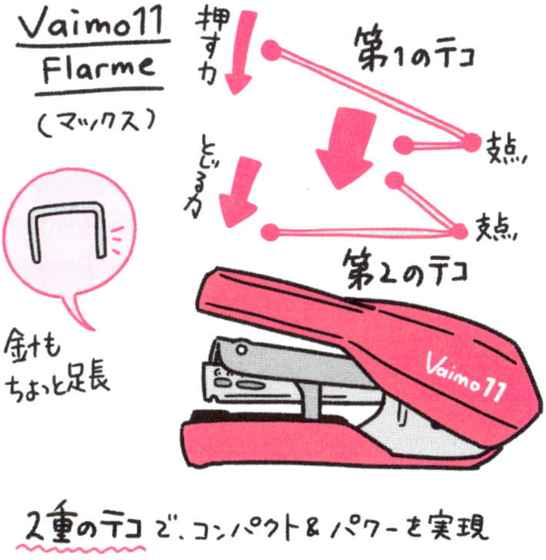

コンパクトサイズながら、軽い力でとじられる、女性にもおすすめのステープラーがメーカー各社から登場しています。その秘密はテコ（支点）を2つ持つ構造を採用していることです。
マックスの「Vaimo（バイモ）11」シリーズは、テコを2つ持つ構造と、通常の針より1mm長い11号（No.11）の専用針を採用し、従来の倍にあたる約40枚の紙をとじることができます。ちなみに製品名の「11」は、この専用針に由来します。

いまどきのステープラー事情

針がないからエコロジー

針を使わずにとじるため環境に優しく、安全なステープラーが、コクヨの「ハリナックス」シリーズ。ハンディサイズの 10 枚タイプは、紙を切って折り込む仕組みで、コンパクトながら 10 枚とじを実現。
また、「書類に穴を開けるのはちょっと…」という人には、金属歯を強い力で紙に圧着することで穴を開けずにとじることができる「ハリナックスプレス」(とじられる枚数は約 5 枚)がおすすめです。

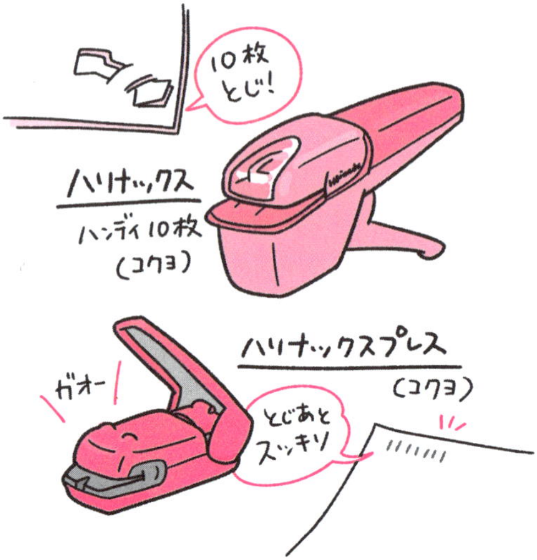

携帯ステープラー、場所を選ばず

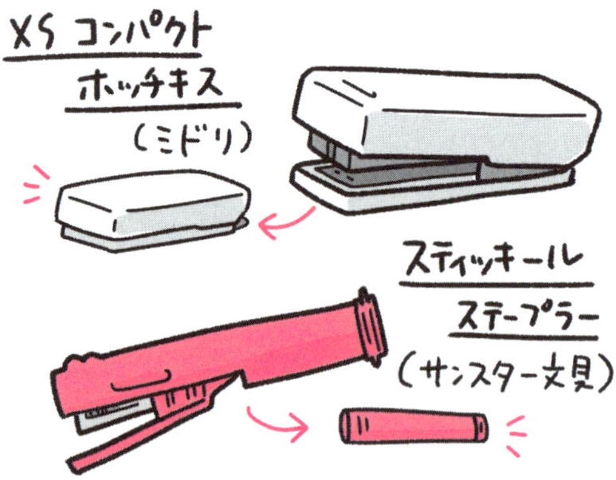

ペンケースなどに忍ばせて携帯できるコンパクトタイプのステープラーを 2 つ紹介します。ミドリの「XS コンパクトホッチキス」は、「LOCK」してたたむと消しゴムほどのサイズになります。
また、サンスター文具の「スティッキールステープラー」は、直径 18mm のスティック型なので筆箱にすっぽり収まります。

書類の雪崩にさようなら

ステープラーでとじた紙を何部も重ねると、針の盛り上がりでとじ部分がかさばってしまい、書類の雪崩（なだれ）が起きてしまうことも…。その点、マックスの「サクリフラット」なら、針の裏を平らに打ち曲げる「フラットクランチ」技術により、とじ部分がかさばりません。

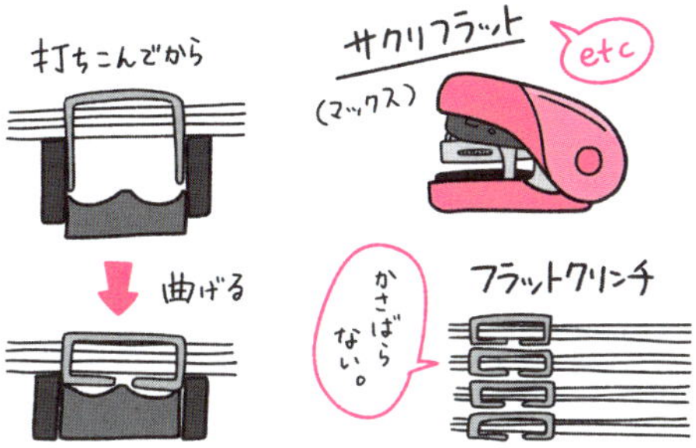

ステープラーのコペルニクス的転回

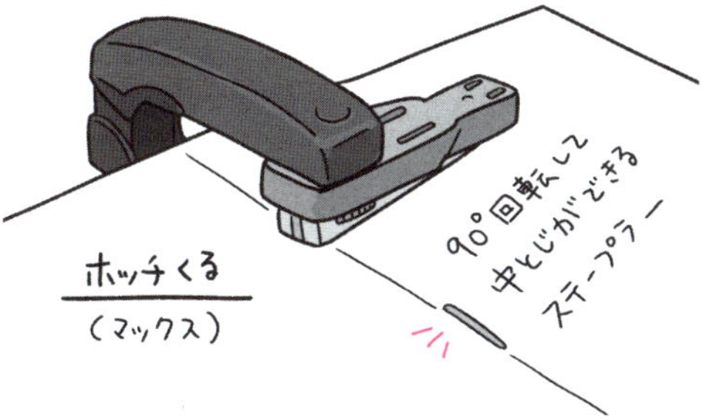

マックスの「ホッチくる」は、針が出る部分が左右にクルッと90度回転するステープラー。冊子の中央でとじる「中とじ」が行え、輪飾りや筒、箱作りなどのペーパークラフトにも重宝します。

column

針を取るプロフェッショナル

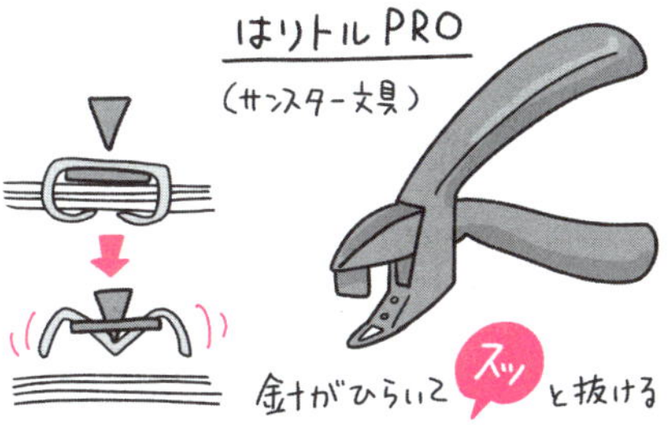

とじた針を外すには、ステープラーのお尻についた「リムーバー」という部分を使うのが一般的ですが、薄い紙などは破れてしまうこともしばしば。サンスター文具の「はりトルPRO」を使えば、先端を針にくぐらせてハンドルを握るだけで、素早く、かつきれいに針を抜くことができます。

【クリップ】

Clip

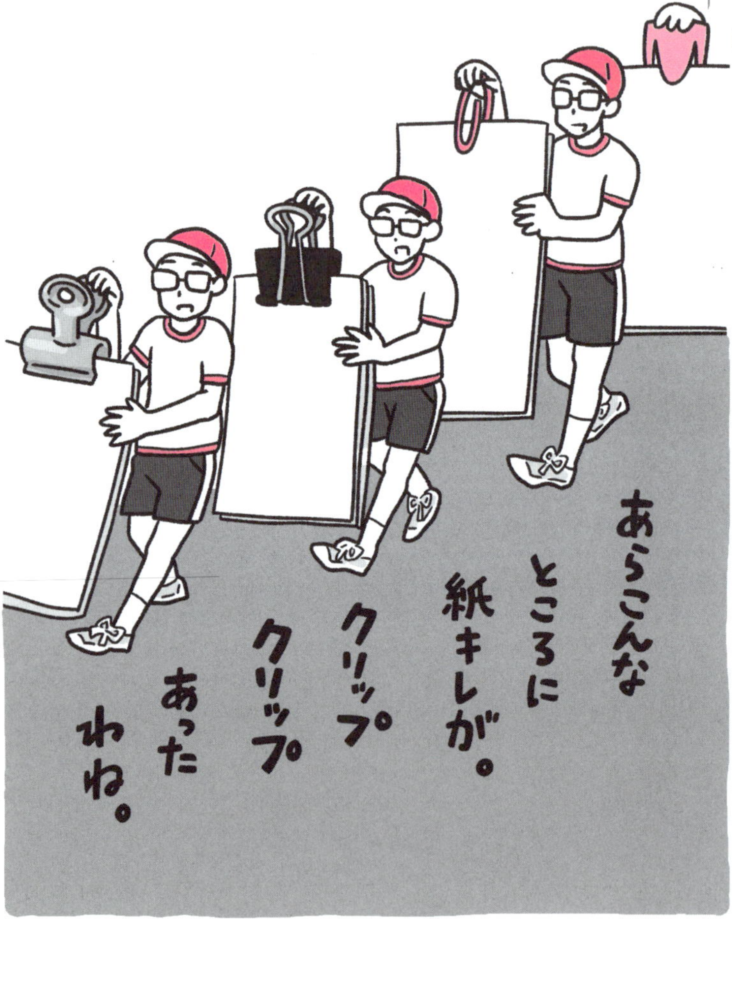
あらこんな
ところに
紙キレが。
クリップ
クリップ
あった
わね。

昔ながらの伝統的クリップ

エブリバディ・ノウズ・ゼム

紙を挟むクリップの代表格「ゼムクリップ」。1890年頃のイギリスで、名称の由来になっているゼム・マニュファクチュアリング・カンパニーが発明したという説がありますが、定かではありません。
東京・銀座の伊東屋のコーポレートシンボルとして〝レッドクリップ〟が掲げられているように、文房具の象徴的アイテムの1つといえます。

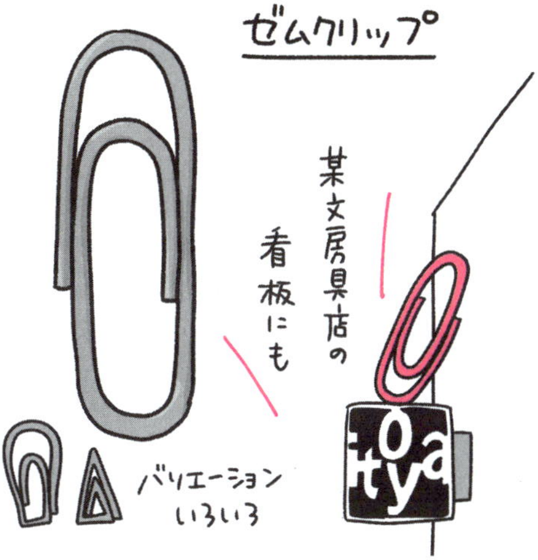

大きな目玉は何のため？

つまみ部分の穴が目のように見えるクリップを「目玉クリップ」「蛇の目クリップ」などと呼びます。この穴の用途ははっきりとはわかっていませんが、フックに引っ掛けたり、紐を通して吊るすことができます。バネの強い力で挟むため、枚数が多い場合に適しており、ダブルクリップ登場以前はよく用いられました。

1個でも〝ダブル〟とはこれいかに

目玉クリップに代わり、主流となっているのが「ダブルクリップ」です。枚数が多くてもしっかり挟め、つまみ部分をたたむとじゃまにならないのが特長。価格がリーズナブルなこともあり、今やオフィスの必需品です。ちなみに名前の〝ダブル〟とは、横から見た形状が〝W（ダブリュー）〟に見えるからです。

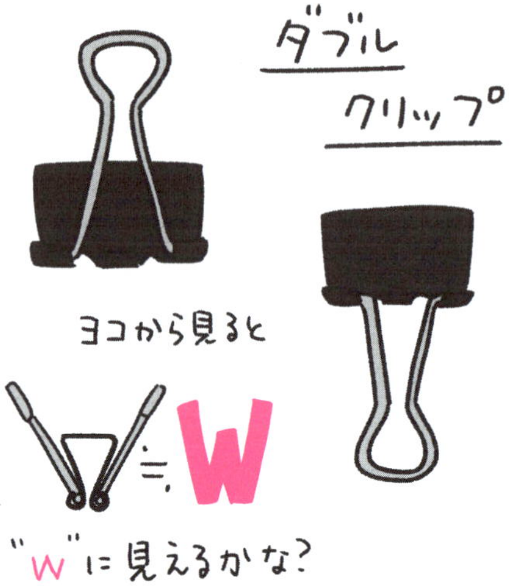

つまみはなくともイケるクチ

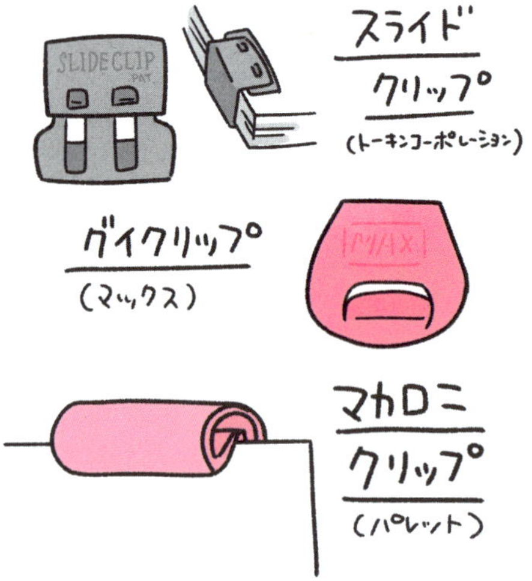

「ゼムクリップは挟む力が不安」「ダブルクリップは少々ごつくて苦手」という人には、つまみがない小型タイプがおすすめ。
トーキンコーポレーションの「スライドクリップ」は、紙に差し込んでカバー部分をカチッと押すと紙をホールドする仕組み。
マックスの「グイクリップ」は、そのままぐっと紙に差し込み、とじるタイプ。
パレットの「マカロニクリップ」は、チューブ形状の内側にコピー用紙を30枚まで挟むことができます。

ガチャっと留めてロングセラー

1980年（昭和55年）、オートが発売した「ガチャック」は、連射式クリップのパイオニア。専用のクリップ「ガチャ玉」を本体に充填し、先端を書類にあててスライダーを押すことで、書類を傷つけることなく、しっかり紙を留めることができます。
本体1つで厚さ別に3種類のガチャ玉を使用できる「3WAYガチャック」も用意されています。

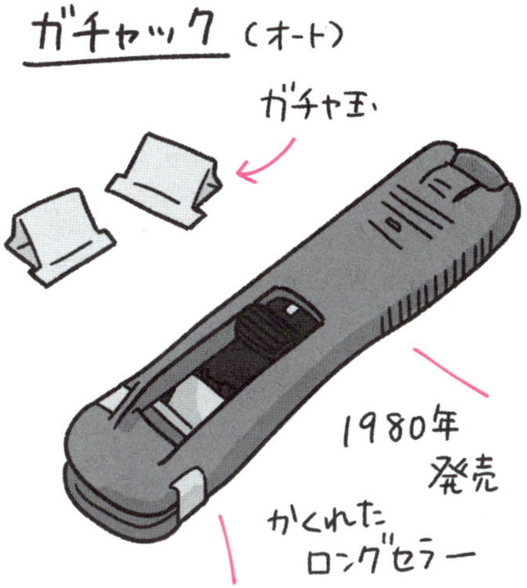

学校やオフィスで使うのが楽しくなる

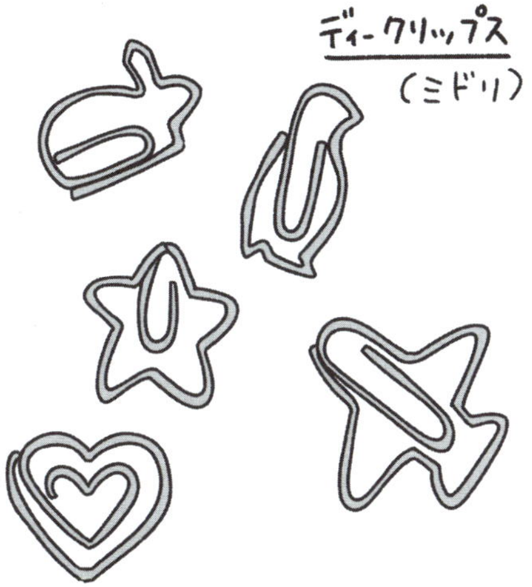

近ごろでは、文具というより雑貨のようなカラフルでさまざまな形のゼムクリップをよく見かけます。
ミドリの「ディークリップス」は、動物や乗り物などいろいろな形のゼムクリップがラインアップされています。紙に挟むことで、それらのフォルムがくっきり浮き出し、そのかわいらしさに癒やされます。

オフィスと文房具、不可分の関係

かつて〝グレー〟だった事務所の風景

　まだ〝オフィス〟が〝事務所〟と呼ばれていた戦後から1960年代にかけて、職場の組織は軍隊式のヒエラルキーを引きずっており、部長、課長、係長などの下に数名の部下が配置されるという形態でした。事務所内のレイアウトも組織形態にならい、リーダーを1人置き、そちら側を向いて座らせる「教室」型、あるいは部下を対面で座らせるという「島」型が一般的でした。

　当時、それまでの木製家具に取って代わったスチール製の机や椅子、キャビネットなど、ほとんどの事務機器の色はグレー。これは戦後間もなく、進駐軍（GHQ）が日本の家具メーカーに作らせたスチール家具がやや緑がかったグレーであったことに端を発しているといわれています。この色は、アメリカの海軍や陸軍が使用していたため「進駐軍グレー」と呼ばれ、工業製品として大量生産された事務機器に採用、以降日本全土に行き渡ったと考えられます。

当時の主たる事務用品といえば、ソロバン、鉛筆、ノートなど。戦後、やはり進駐軍によってボールペンが日本に持ち込まれますが、当初はまだ高価だったためペン先にボトルのインクをつける「つけペン」が用いられていました。こうした文房具は多くの場合、会社がまとめて購入し、同じものを社員に配っていました。

OA化で彩られた〝オフィス〟

「企業戦士」「モーレツ社員」の言葉が流行した1960年代後半から70年代のいわゆる高度成長期を経て、時代は「24時間戦えますか」のCMフレーズが飛び交うバブル景気の80年代。FAXやコピー機、ワープロ専用機が普及し、大型コンピューターからパソコンへとダウンサイジングが図られるなど、「OA（オフィス・オートメーション）」の波が押し寄せてきました。これにより、それまで〝グレー〟だった事務所の風景に変化が訪れます。

このOA化の時流に合わせ、オフィス家具メーカー各社はトータルコーディネートされたOA対応の家具を手がけはじめます。ちなみに、パーテーション（衝立）によって、個人のデスクやスペースを区切るシステム家具が登場したのもこの頃。それらのオフィス家具は、オフホワイトやアイボリーなど明るめの配色で、青や赤などカラフルな差し色が加えられました。

一方でオフィスで使われる文房具として、今では定番となっている「ポスト・イット」や「テプラ」など、画期的な製品が次々と登場。職場で支給される文房具も徐々にではありますが、オフィス家具同様、色やデザインのバリエーションを増やしていき、オフィスを明るく彩ることに一役買いました。

“マイ・フェイバリット”を仕事場に

1990年代、日本経済のバブル崩壊を期に企業の業績は停滞、オフィス環境への投資も低調になりました。しかしOA化の流れはとどまらず、さらにはマイクロソフトの「ウインドウズ」（※1）の登場により、パソコンの普及率が一気に上昇。「従

業員一人につきパソコン1台」の時代が到来します。

ここからオフィスおよびワークスタイルの在り方は、加速度的に変貌を遂げていきます。LAN（※2）からインターネットへの拡大、高速なブロードバンド通信の登場により、2000年代には「従業員一人につき1つのメールアドレス」が当たり前に。さらに昨今、ノートブック型パソコンの低価格化や、無線LAN（Wi-Fi）の普及も相まって、オフィスで固定の席を持たない「フリーアドレス」、オフィス以外の場所（自宅、カフェ、コワーキングスペースなど）で仕事をする「リモートワーク」といったワークスタイルが生まれました。

これらの変化は、文房具にとっても無縁ではありません。パソコンをはじめとするデジタル機器の導入によるペーパーレス化が進み、文房具の出番はぐっと減りました。また、特に2008年9月のリーマン・ショック以降、コスト削減のため個々への文房具の支給を控えて共有化する、場合によっては個人での購入を促すといったケースも少なからず見聞きします。

しかし立ち返って考えてみると、このようなワークスタイル、オフィス環境の変化によって、〝一人ひとりが自分好みの文房具を使う〟という選択肢が生み出されたともいえます。与えられた画一的な文房具ではなく、より個性的で、より自分が使いやすい〝マイ・フェイバリット〟に囲まれる仕事場は、それほど悪くはないような気もします。

※1 ウインドウズ
マイクロソフトが開発したOS（基本ソフト）。「ウインドウズ3・0」が1991年、「ウインドウズ95」が1995年に発売。

※2 LAN
Local Area Network（ローカル・エリア・ネットワーク）。建物内、会社内など限定的な範囲で構築されたネットワーク。

chapter

4

保存する。分類する。

【穴を開けるファイル】

……… Perforated file

〝2穴〟に入らずんば〝とじ〟を得ず

日本では2穴が主流

穴を開けるファイルは、日本国内では2穴が主流。これは1904年（明治37年）に、ドイツ製の2穴パンチが初めて日本に輸入されたことに端を発しているようです。
2穴ファイルとして最もシンプルな「リングファイル」は、多くの書類をとじることができ、開けやすく、目的のページを抜き出しやすいのが長所。リング形状には、めくりやすい「O型リング」、書類の側面がきれいに揃う「D型リング」があります。

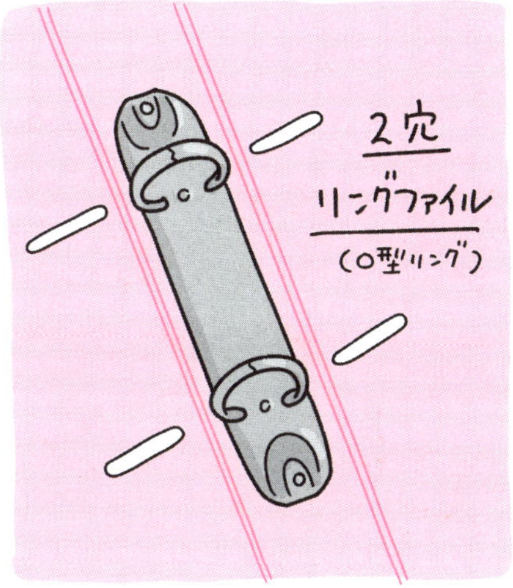

穴の数だけ強くなれるよ

ファイルは、2穴以外にも穴の数によって、さまざまな種類があります。A4サイズを例にとると、4穴や、ルーズリーフでおなじみの30穴などがあります。
一般的に穴数が多くなるほど強度が高まり、穴の周りが破れにくくなります。そのため、穴数の多いファイルは、閲覧頻度の多い書類や、会計・法務関係など重要書類のファイリングによく用いられます。

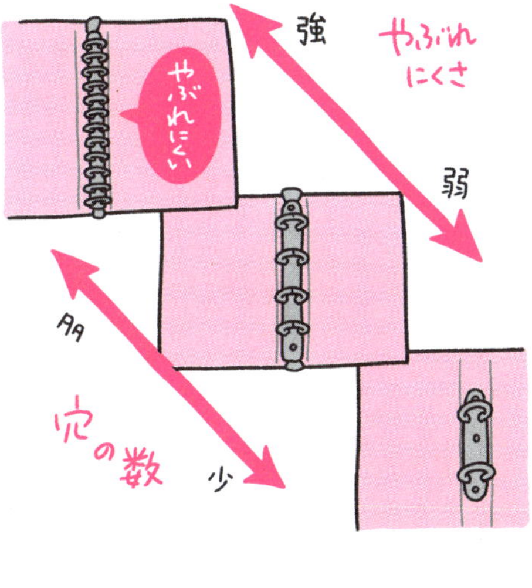

軽薄だけどそこがいい

紙製の本体に固定された留め足を、留め具で固定してとじるのが「フラットファイル」。軽くて薄いので、少なめの枚数をとじ、コンパクトに保管するのに向いています。
それまでファイルと言えば留め足はブリキ製でしたが、折れ曲がりやすい、書類が破れやすいなどの問題がありました。1956年（昭和31年）、それらを改善したポリエチレン製の留め足をコクヨが開発し、現在に至ります。

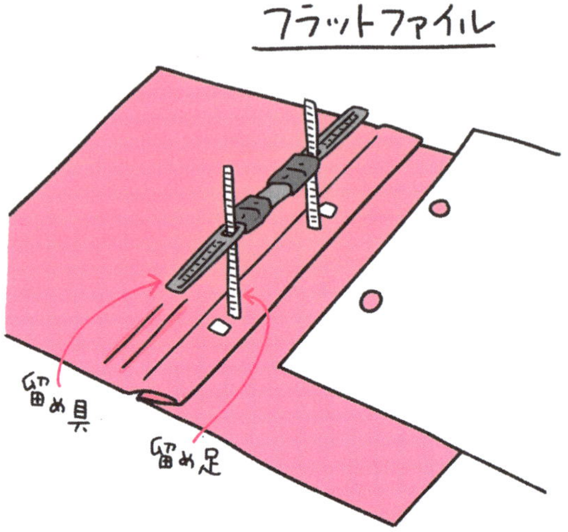

お厚いのがお好き

本体に取り付けられたパイプに、芯の付いた留め具を差し込むことで固定するのが「パイプ式ファイル」です。
大量の書類をとじられる頑強なつくりで、50～100mm以上など厚さがあるタイプが用意されているのが特長。基本は片開きですが、下になった書類を抜き出しやすい、表と裏どちらからも抜き差しできる両開きタイプもあります。

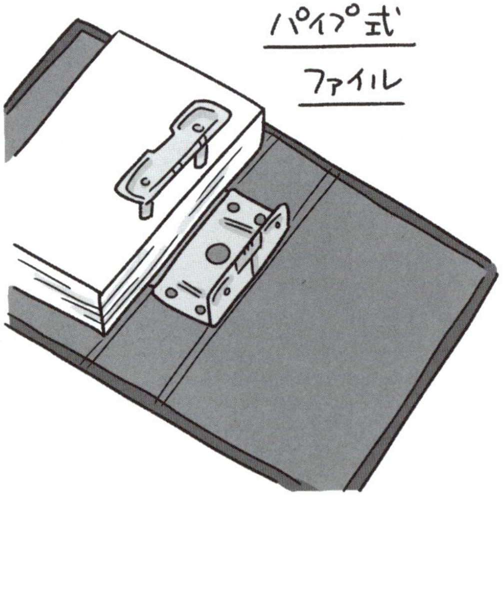

穴開けはワン・ツー・パンチ

それにつけてもパンチはカール

穴を開ける道具は、「穴開けパンチ」と呼ばれます。カール事務器の「アリシス」は、2重テコ構造により従来品とほぼ同じサイズながら、半分の力でパンチできるベストバイ。
なお、JIS 規格では2穴の場合、穴の直径が約 6mm、2穴の中心の間隔が約 80mm、紙の端から穴の中心までが約 12mm と規定されています。

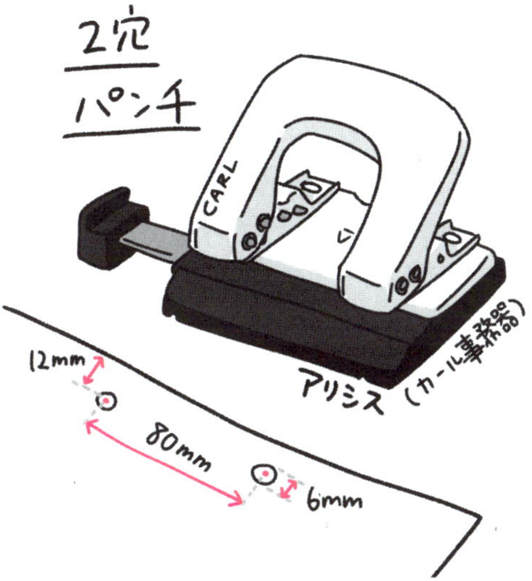

ワンタッチで穴の破れを防止

頻繁に書類を抜き差ししたり、閲覧したりすると、穴の周りが破れてファイルから外れてしまうことも…。そんなときに活躍するのが、穴の周りを補強するシール。
コクヨの「ワンパッチスタンプ」は、ハンコのように押すだけという手軽さと、位置合わせの簡単さで人気の商品です。

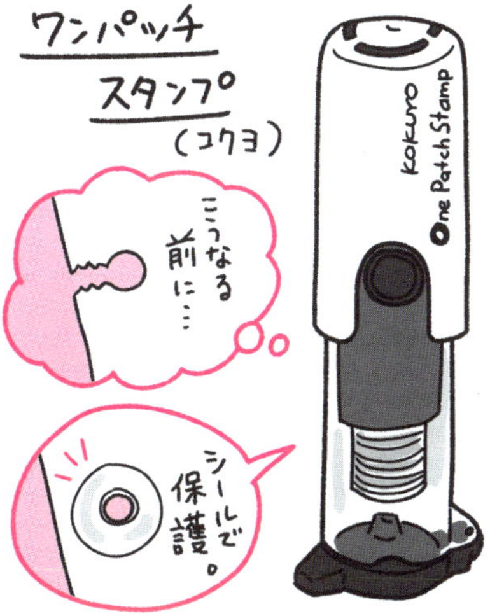

【穴を開けないファイル】

File

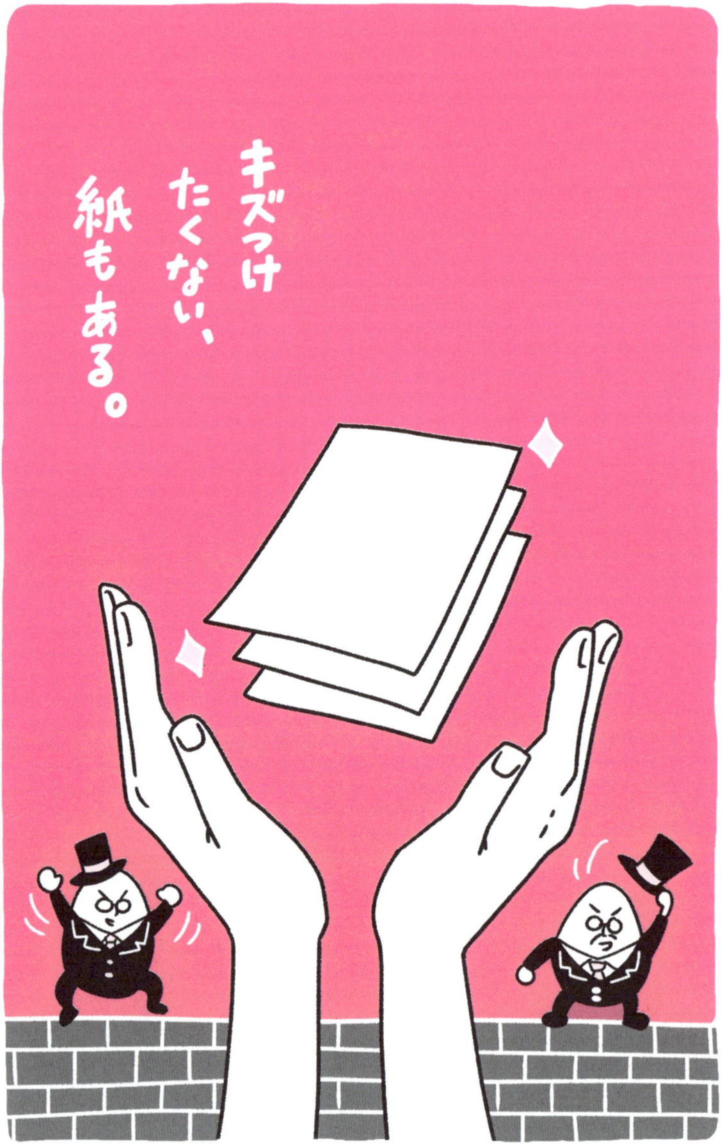
キズつけ
たくない、
紙もある。

中身もすべてお見通し

切り欠きには意味がある

元来「ファイルホルダー」は、二つ折りの厚紙に書類を挟むものでした。現在は、中身が見えて管理しやすい、透明なポリプロピレン製の「クリアホルダー」が普及しています。
ちなみに、クリアホルダーの右上部には半円、右下部には三角形の切り欠きがあります。前者は指を引っかけて開きやすくするため、後者は接合部に力が集中して裂けるのを防ぐためのものです。

ポケットの中には書類がひとつ♪

透明なポケットが複数とじられている「ポケットファイル（クリアファイル）」は、1961年（昭和36年）にテージーが「ニューホルダー」の商品名で発売したのが日本初。
ポケットファイルは、ポケット上部から書類を入れるタイプが一般的ですが、書類が落ちにくい横入れ型や、出し入れしやすいクリアホルダー型なども存在します。クリアホルダー型は、脱落防止ストッパーがあるものが安心です。

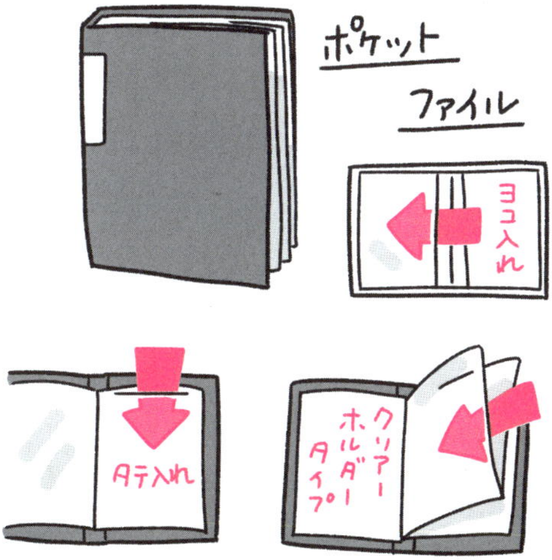

広がるポケットで広がる使い道

「ドキュメントファイル（ドキュメントホルダー）」は、内部がポケットによって仕切られており、アコーディオン状に広がることで、たくさんの書類の収納にも対応します。それぞれのポケットを月ごと、教科ごと、種類ごと、といったように分類して管理するのに適しています。また、バッグ型のものが多く、持ち運びできるのも便利です。

箱の中身はなんだろな

薄手の「個別ホルダー」や「クリアホルダー」をまとめて収納するための「ボックスファイル」。背に分類や内容を記載し、書庫に収納しておけるので、大量の書類を長期保管するのに向いています。
近年、横型だけでなく、収納物の背が見やすい縦型もよく利用されています。

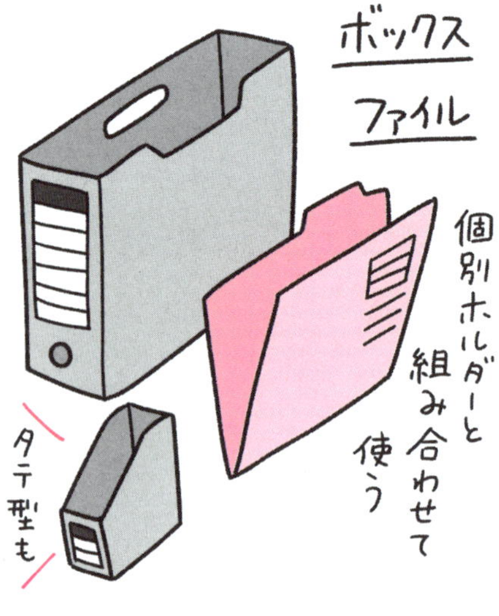

留め具の見た目が〝Z〟だゼ―――ット！

穴を開けずに書類をまとめられるのが「レバーファイル（Z式ファイル）」です。留め具のレバーを押し、バネの強い力で紙を挟み込んで固定します。
大量の書類は挟めず、また紙をめくると折り目がつきやすいため頻繁に閲覧するものには不向き。一方で、穴を開ける手間がなく、自由に抜き差しできるので、ちょっとした保管用途に適しています。

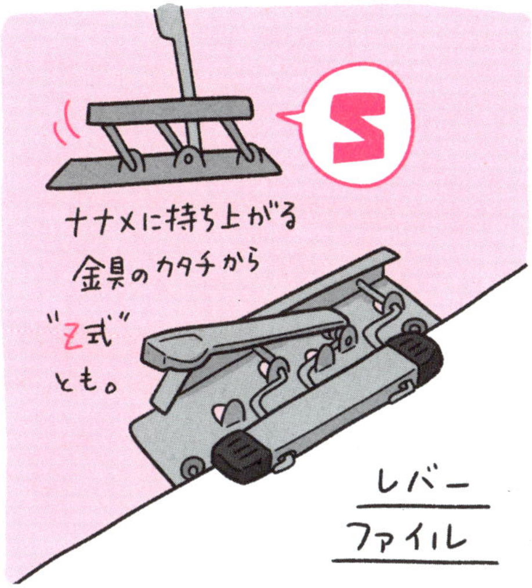

プリントがあっという間に冊子に

「レール式クリアホルダー」は、書類を透明なファイルに挟み、背の部分をレールで締め付けることで冊子化できるのが特長。プレゼンテーション用資料をまとめる際に、よく用いられます。レールはスライド式ですぐに着脱できるので、書類の差し替えも容易です。

【アルバム】

……Album

モノ寄りな、思い出。

ものぐさ派におすすめのポケットアルバム

「ポケットアルバム」は、透明なポケットに写真を差し入れるタイプのアルバム。写真の出し入れがしやすく、比較的軽くて安価な製品が多いのが特長。
とにかく写真をたくさん撮って片っ端から保管する、いわば〝記録〟として残したい場合や、整理に時間や手間をかけたくない人におすすめです。

こだわり派におすすめのフリーアルバム

「フリーアルバム」は、写真を粘着台紙の上に貼り付け、その上からポリプロピレン製のフィルムをかけるタイプのアルバム。写真以外の紙片なども組み合わせて自由にレイアウトできます。フィルムで空気を遮断するので、写真の酸化を防ぎ、色あせしにくいのが長所です。
大切な写真を、〝記憶〟として遺したいときの選択肢となるでしょう。

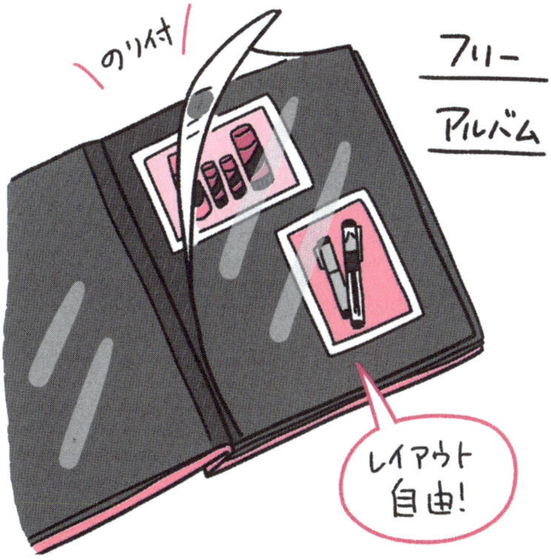

ホビー感覚の「スクラップブッキング」

のり付きアルバム登場以前に、アルバムとして利用されていた「スクラップブック」ですが、1980年代、ただ写真を貼るだけでなくさまざまな装飾を施してレイアウトする「スクラップブッキング」なるクラフトホビーがアメリカで誕生。
日本でも、スクラップブックに自由に写真を貼り、デコシールやマスキングテープを使って飾り付けするのが流行中です。

アルバム界の〝革命児〟

背の厚みに合わせてビスを継ぎ足し、台紙を増やすことができるのが、日本の定番製品、ナカバヤシ「フエルアルバム」です。1968年（昭和43年）に登場した、継ぎ足しのビス構造は、伸縮するラジオのロッドアンテナからヒントを得て生まれたアイデア。その斬新性、高品質、高耐久性は、アルバム界に革命をもたらしました。

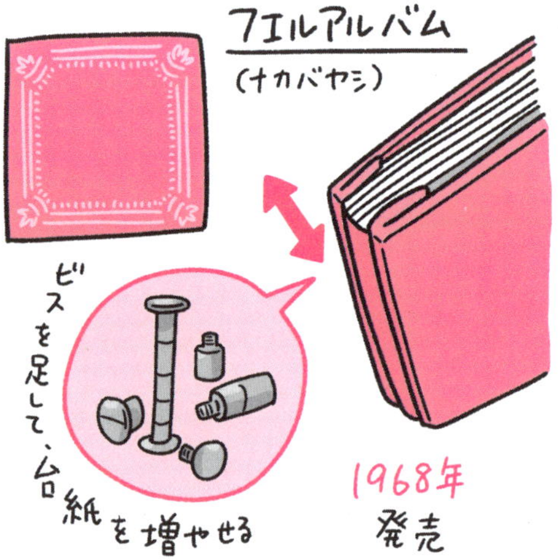

写真が増えれば台紙もフエル

右ページで紹介したナカバヤシのフエルアルバムは、目的や用途に応じてさまざまな台紙を選ぶことができるのも魅力。中でもおすすめの台紙をピックアップしてみました。

文字やイラストを描きたい！

「ライト台紙」は、軽くて(Light)、書き込める（Write）台紙です。通常の筆記具を使って文字やイラストを描けるので、アルバムをデコレーションしたい人におすすめ。薄いので収納スペースを節約できるのもメリットです。

アルバムを長持ちさせたい！

「100年台紙」はアルミ箔で、「プラコート台紙」はPETフィルムで台紙の表面をラミネート加工した台紙。これにより、台紙の変形・変色などが起きにくいなど、一般の台紙に比べ高い耐久性を誇ります。
また、PPフィルムで台紙全面をカバーすることで、従来品よりインクジェットプリント写真の色あせを防止。いつまでもきれいにアルバムを残すことができます。

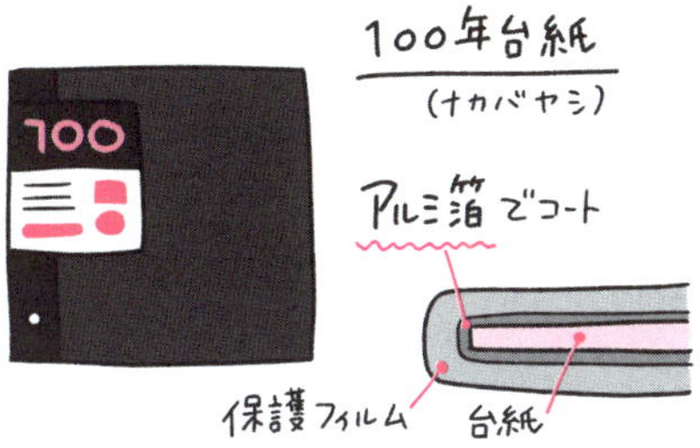

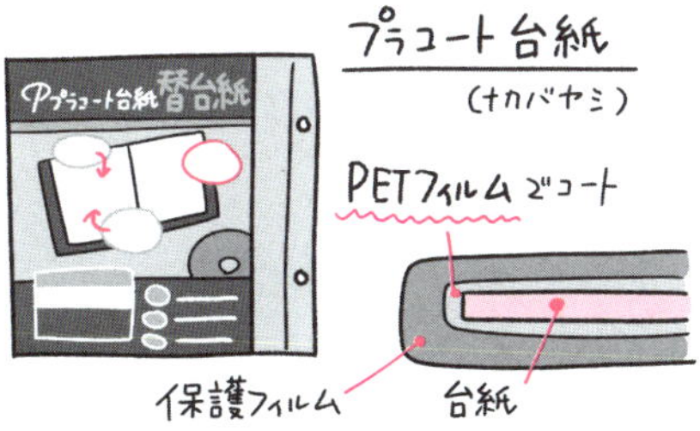

文房具の周辺史

4

手帳

それでもわたしは手帳を愛す

“買うもの”ではなく“もらうもの”

日本における手帳の歴史は、１８６８年（明治元年）に政府の印刷局が、警察官や軍人用の手帳を製造したことから始まります。１９１２年（大正元年）には、横浜の馬車道にあった文具店、文寿堂が一般人に向けて手帳を販売。これは１８６２年（文久２年）、福沢諭吉がフランス・パリのポルタン文具店で購入し、日本に持ち帰った手帳がモデルになったといわれています。

また、１８８０年代には、年初（あるいは年末）に会社が社員に与える「年玉（ねんぎょく）手帳」なるものが登場します。今では聞き慣れない言葉ですが、これは社名が刻印され、社是・社訓のほか年齢早見表や度量衡一覧などの情報が掲載されている手帳で、会社など共同体への帰属意識を高める役割も果たしていたようです。

やがてこの年玉手帳は、自社の社員のみならず取引先や顧客にも贈答用として配られるようになります。バブル崩壊に伴う経費削減の憂き目に遭うまで見られたこの慣習は、「手帳は〝買うもの〟ではなく〝もらうもの〟」という認識を多くの日本人に植え付けました。

〝黒船〟システム手帳、来航

バブル経済真っ盛りの1984年（昭和59年）、文房具業界を席巻する出来事がありました。それが、ファイロファックス（Filofax）のシステム手帳の日本上陸です。グッズ誌やファッション誌で大々的に特集が組まれ、またたく間にシステム手帳ブームが起こりました。

ファイロファックスは、1921年（大正10年）にイギリス・ロンドンで設立されたシステム手帳のパイオニアブランド。映画監督のスティーブン・スピルバーグ、俳優のウッディ・アレン、女優のダイアン・キートン、デザイナーのポール・スミスなど、多くの著名人が同社のシステム手帳を愛用しているそうです。

その特長は、縦170×横95㎜の「バイブルサイズ」（※1）と、リフィル（用

※1 バイブルサイズ
日本以外では「パーソナルサイズ」と呼ばれる。このほかスモール（ミニ6穴）サイズ（81×120㎜）、A5サイズ、A4サイズの計4サイズが用意されている。

紙）の抜き差しを自由に行える6穴リング。これらは事実上、システム手帳の標準規格となっています。リフィルは、定番のノートやスケジュールにはじまり、方眼紙、アドレス帳、ＴＯ ＤＯリスト、ふせん、さらには紙以外のジッパー付きクリアポケット、カードホルダーなど多種多様なものが用意されています。リフィルを自由に組み合わせて自分だけの手帳を作ることができるのは便利であり、また楽しくもあります。

〝黒船〟システム手帳の来航は、かつて〝もらうもの〟だった手帳が、こぞって〝買うもの〟になった一大転機といえるでしょう。

スマホ全盛、どっこい手帳は生きている

１９９０年代に入ると、システム手帳ブームは鳴りを潜めたものの、学生からビジネスマンまで各々が好みの手帳を買って使うというスタイルが根付き、文具店の店頭にはさまざまな手帳が並ぶようになりました。

一方でパソコンが世の中に定着しはじめたこの時期、電子手帳やＰＤＡ（※2）が産声を上げます。これらは、意識の高い

ビジネスユーザー層やガジェット好きなどの支持を得ましたが、一般の人々にとってはまだ敷居の高いものでした。しかし、アップルが2007年（平成19年）に「アイフォーン（iPhone）」を、2010年（平成22年）に「アイパッド（iPad）」を発売。以来、スマートフォン、いわゆる〝スマホ〟やタブレットを使ってメモやスケジュール管理を行っているという人は珍しくなくなりました。

では、紙の手帳は衰退してしまったのでしょうか。いいえ、決してそんなことはありません。実は市場は拡大傾向にあるという話も聞きますし、使い勝手に工夫をこらした手帳が数多くお目見えしています。

その代表格が、コピーライターの糸井重里が主宰するサイト「ほぼ日刊イトイ新聞」発のオリジナル手帳である「ほぼ日手帳」。2002年（平成14年）に発売され、今では世界中に多くの愛用者がいるという人気の手帳です。一日1ページのスペースという自由度の高さ、180度パタンと開ける糸かがり製本、種類が選べるカバーなどが特長で、ほかにもユーザーの声を取り入れた使いやすい仕様が満載です。

思ったそのときにすぐ手書きできる便利さ、所有欲を満たすデザイン、メモやスケジュールの前後を見渡せる一覧性など、紙の手帳ならではのよさは決して色あせることはありません。最新デバイスと併用されながら、これからも愛され続けていくことでしょう。

※2 PDA
Personal Digital Assistant（情報携帯端末）。スケジュールや住所録、メモなどの情報をペン入力して管理できる。シャープの「ザウルス」や、アップルコンピュータの「ニュートン」などが話題に。

chapter

5

働く。暮らす。

【新しいワークスタイルの文房具】

……New workstyle stationary

今日、どこで働こう。

2019年末からの新型コロナウイルス感染症の流行、いわゆる「コロナ禍」を機に、私たちを取り巻く生活様式、とりわけワークスタイルは一変しました。その流れを加速させたのが、パソコンそしてインターネットといった「ＩＣＴ（情報通信技術）」です。ともすれば〝アナログ〟と括られがちな文房具も、ＩＣＴとの共存共栄が図られ、多様な働き方にアジャストしてきています。そんな新しいワークスタイルにうってつけの文房具を紹介します。

働き方が変われば働く場所も変わる

自宅で、カフェで、ホテルの部屋で【テレワーク】

コロナ禍以降、「テレワーク」という選択肢が生まれました。インターネットとノートパソコン1台あれば、自宅のみならずカフェや出張先のホテル、移動中の交通機関など、どこでも仕事ができる時代の到来です。会議や打合せも、オンラインで行うことが一般的になってきました。

〝置きどころ〟が〝悩みどころ〟【フリーアドレス】

テレワークの普及に伴い、職場に就業者個人の座席を割り当てず、日ごとに違う座席に座る「フリーアドレス」を導入する企業が増加。これにより、個人が所有する仕事道具や文房具の置き場所が限られるようになり、共有物を利用するか、自身で持ち運ぶ必要が出てきました。

通勤地獄にさようなら【サテライトオフィス】

最近では、従業員の満足度を上げるため、通勤時の負担軽減を目的に、本社から離れた場所に「サテライトオフィス」を設置する企業もあります。また、座席や会議室などを共有し、利用者が各々の作業を行う施設「コワーキングスペース」も、都市圏を中心によく見かけるようになりました。

いかに持ち運ぶか、それが問題だ

仕事場所を選ばない時代になったことで、ノートパソコンやタブレット、仕事道具一式を持ち歩く機会が増えました。デジタル化が進んだとはいえ、それなりに文房具も必要です。そこで悩ましいのが、「それらをいかに持ち運ぶか」ということ。持ち歩くことを考えると、なるべくかさばないように物を減らし、軽量化を図りたいところ。特に細々した文房具は、できるだけ使いやすくまとめておきたいものです。
さて、どうしたものでしょう…。

ケース・バッグはさながらミニ・オフィス

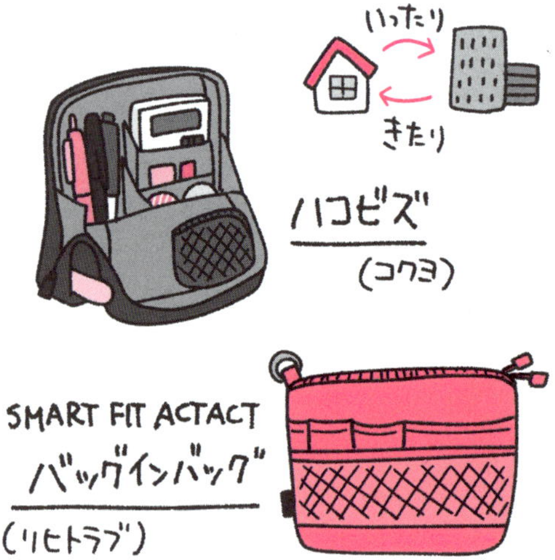

文房具を持ち運べる収納ケースやインナー・バッグは、場所を選ばず働く人の強い味方です。コクヨの「ハコビズ」は、〝持ち運び型ツールペンスタンド〟と銘打たれていますが、さまざまなワークツールを立たせて収納できるため、机上に置いても使いやすい優れもの。ノートパソコンやタブレットと文房具をまとめて持ち歩きたいという人には、薄型ながら収納力が高い、リヒトラブの「SMART FIT ACTACT バッグ・イン・バッグ」もおすすめです。

ペンとノート〝ベストカップル〟を持ち歩く

ノートパソコンやタブレットが普及しても、手書きのノートやペンは必需品。でも、ペン一本のためにペンケースをカバンに入れるとかさばるし、かといってペンだけ持ち歩くと失くしたり、カバンの中で迷子になったりすることもしばしば…。そのような悩みを解決すべく、ペンとノートをセットにして持ち歩け、さっと取り出してすぐ書ける快適な製品が今人気です。

〝ペンから〟ノートにプロポーズ

ゼブラのノートホルダー付ジェルボールペン「ピタン」は、ノートの裏表紙などにクリップ付き・磁石内蔵の専用ホルダーを装着、そこに磁力でペンを固定するという製品です。ノートとホルダーは隙間なくフィットしているので、見た目も使い勝手もスッキリ。筆記具メーカーらしく、〝ペンから〟導き出されたソリューションです。

〝ノートから〟ペンにプロポーズ

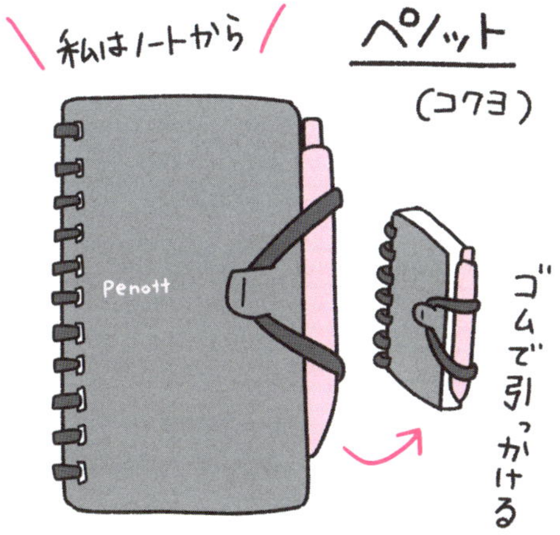

コクヨの「ペノット」は、ペンを挟むためのゴムバンド付きソフトリングノート。ペン全体をゴムバンドで巻き込むことでノートにしっかりホールドします。スリム A5／スリム B6 サイズなのでコンパクトに持ち運べ、リング綴じで折り返して省スペースで使えるのも利点です。〝ノートから〟のアプローチは、紙製品に強いコクヨならでは、と言えるでしょう。

〝オン〟〝オフ〟使い分けの時代

テレワークの普及とともに一般化したのが、「Zoom」や「Microsoft Teams」などのアプリケーションを用いた「オンライン会議（Web会議）」。場所を問わず開催でき、移動時間や手間、費用を削減できるなどのメリットからビジネスシーンでは欠かせない手段となりました。ただ、コロナ禍が一段落した現在、対面で行う「オフライン会議」回帰の傾向もあります。
会議の目的や内容によってオン／オフを使い分けるのが最適解かもしれません。

「半分」だからちょうどいい

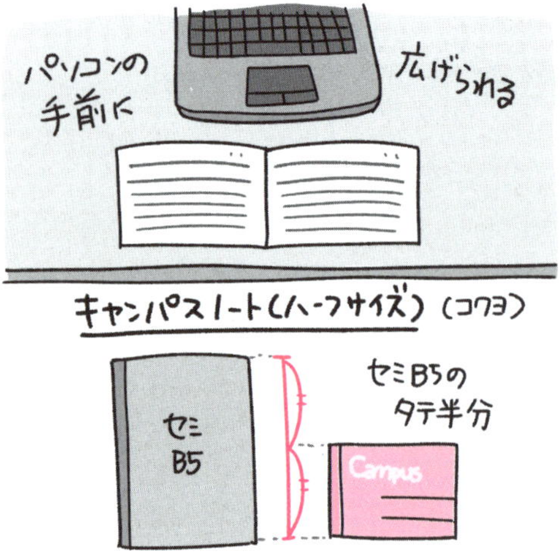

オンライン会議中に限りませんが、ノートパソコンやキーボードの手前にノートを広げたとき、机の上のスペースが足りなく、窮屈で書きづらいという人も多いのではないでしょうか。そこで便利なのが、コクヨの「キャンパスノート（ハーフサイズ）」です。
一般的なセミB5縦型サイズノートの半分、B6横型サイズなので、パソコンやキーボードの手前に広げても机上に収まりやすく、ノートへの書き込みがしやすくなります。

ちょいと引き出せば、筆記台に早変わり

ノートパソコンユーザーにとって、机上のスペース不足は永遠のテーマ。それを解決してくれるのが、コクヨの「ノートPCスタンドBIZRACK（ビズラック)」。
パソコンの使用を楽にするスタンドとしての機能のほか、スライドボードを引き出して折り返すことで、筆記台としても使用できるのが特長。オンライン会議中のメモ取りも捗ります。折りたたんでバッグにスッキリ収まるので、持ち運びにも適してます。

上を向いて話そう

ノートパソコンでのオンライン会議は、手元のメモや資料などに気を取られて下を向きがち。これが相手にあまり良い印象を与えないことも…。
リヒトラブの「ふせんボード」は、ノートパソコンの液晶画面の上に設置し、付箋メモを貼ることのできるボード。オンライン会議中に視線を落とすことなく、カメラ目線のまま付箋のメモを確認できます。下を向きたくなるような質問を振られるオンライン面接でも活躍しそうなアイデアグッズです。

【新しいライフスタイルの文房具】

New lifestyle stationary

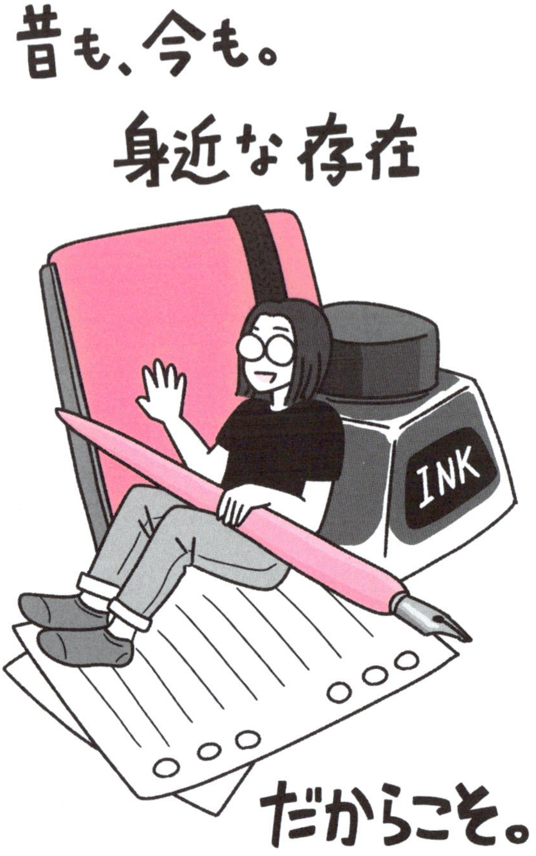

一昔前と比べると、世界を取り巻く環境、私たちのライフスタイルは様変わりしました。コロナ禍を機に急速に発展したICTによって生活のあり方は一変。一方でその反動か、温もりのある〝手作り感〟や〝手書き感〟を求める人も増えました。また、「エコロジー」や「サステナビリティ（持続可能性）」、「多様性」などの考え方が尊重され、地球そして人にやさしくあることはもはや常識と言えます。そんな時代を迎え、ニーズが高まった文房具を紹介します。

増えたのはネットショッピングと開ける手間

コロナ禍によって変化した生活のあり方のひとつ、それが「買い物」です。高齢化社会も相まって、家に商品が直接届くネットショッピングや、UberEats などのフードデリバリーサービスの利用が増加しました。
そして、これらはダンボール箱やビニール袋などで梱包されて届くことになるのですが…。

小さいけれど便利なキレ者

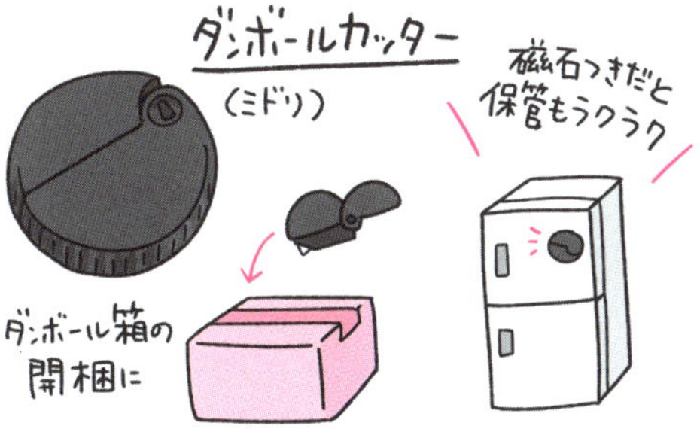

ミドリの「ダンボールカッター」は、直径 5cm のコンパクトサイズにセラミック製の刃を備えたマルチカッター。荷物の開梱のみならず、牛乳パックの解体やペットボトルのラベルはがしなどでも活躍します。マグネット内蔵で、冷蔵庫や金属製のドアなどに貼り付けておけるので、どこでもサクッと使えます。

厚手素材も楽にカイコーン

ダンボールをバラすときや、開梱時に PP バンドやダンボールに巻き付いているフィルムを切るときなど、うっかり指を切ってしまわないか不安になります。
オルファの替刃式開梱用カッター「替刃式カイコーン PRO」なら、刃に指が触れにくい設計なので安心。ゴムシートやカーペットなど厚手素材も切断できる、文字通りプロ仕様の製品です。

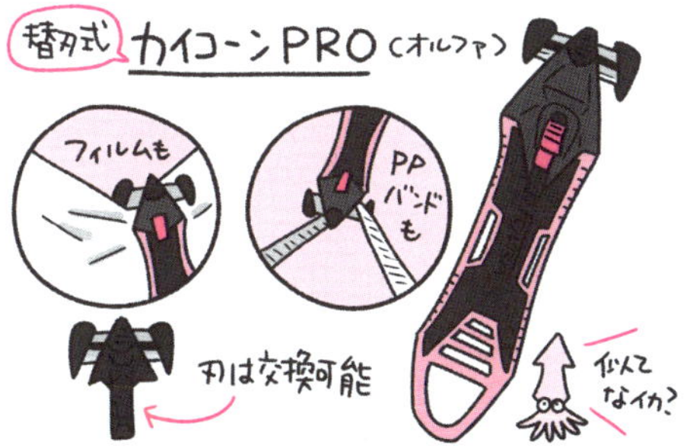

「使い捨て」から「使い回し」へ

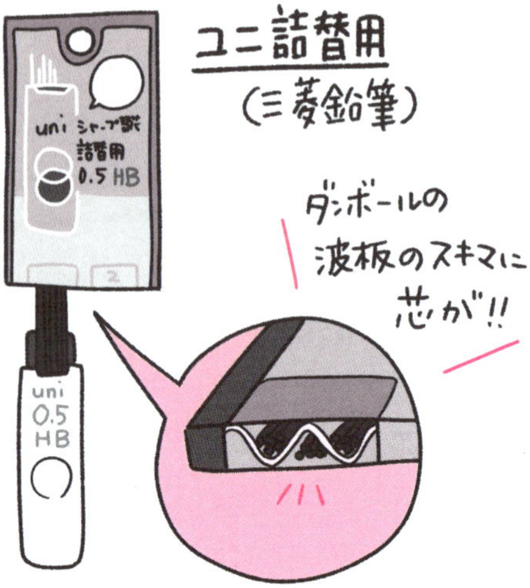

容器などを繰り返し使うことでゴミを減らし、資源を大切にする「リターナブル」という取り組みがあります。例えば「詰め替え用」の洗剤やシャンプーなどがこれにあたります。
三菱鉛筆の「ユニ詰替用」もリターナブルな製品のひとつ。一般にシャープペンシルの替芯ケースはプラスチック製で使い捨てが主流ですが、芯を詰め替えることで、ケースを捨てずに繰り返し使用可能。パッケージもダンボール素材で環境に配慮されています。

昔はゴミ。でも今は立派になりました

昨今エコロジーに関わるさまざまなキーワードが飛び交っていますが､その中のひとつに「アップサイクル」があります。これは、本来捨てられるものに新たな価値やデザインを加え、再生するという考え方です。
「ジェットストリーム　海洋プラスチック」は、昨今環境問題になっている海洋プラスチックごみや、コンタクトレンズのケースを回収、ボールペンの軸として再生し、使用しています。アップサイクルのお手本のような製品です。

エコの極み文具

ペノンの「フラッグペン」は、森林認証（伐採した量以上の植林が約束された）木材のペン軸を採用した、〝脱プラスチック〟のボールペン。パッケージ素材にも森林認証紙を使用し、捨てずに切り取って組み立てることでペンスタンドとして再利用できます。

また、替芯（別売）のパッケージは返信用封筒になっており、使用済みの替芯を無料回収してリサイクルするなど、とことん〝エコ〟にこだわっています。

column

海の色から考える、地球のこと

スカパーJSATが企画・販売する「海のクレヨン」は、宇宙から撮影された衛星写真に写る地球の海の色を再現したクレヨン。世界中の海から選ばれた12色には名前が付けられておらず、代わりにその色を抽出した海の緯度と経度が記されています。万が一口に入れてしまっても安全なように、クレヨンの素材には天然由来の成分を使用しています。子どもたちが地球に興味を持ち、親子で自然環境について考える良いきっかけになるでしょう。

溺れてみたい。色イロイロのインク沼

デジタル化が著しい現代において、〝手書き〟のぬくもり感が見直されつつあります。その代表格が万年筆やつけペン。インクも、一昔前までは青、黒、ブルーブラックの3色程度しか存在しませんでしたが、今ではセーラー万年筆の「SHIKIORI－四季織－」や、パイロットの「色彩雫（いろしずく）」といった多色インクが人気を博しています。大切な人に手紙をしたためるとき、絵やイラストを描くとき、素敵な彩りを添えられます。

空っぽだからイロイロ楽しめる！

「カラフルなインクを使って書いてみたいけれど、万年筆はちょっと敷居が高い」。そんな人におすすめなのが、呉竹の「からっぽペン」。綿芯をインクに浸けて吸い上げ、本体軸にセットすることで、好みのインク色のペンを作ることができます。また、最近巷でよく見かける、ガラス製のペン先をインクに浸して書く「ガラスペン」も入門者におすすめです。手軽にインクを取り替えられ、手入れも楽。ガラスならではの透明感、美しさも魅力です。

万年筆とつけペンのいいとこ取り

万年筆ならではの筆致は良いものですが、多色インクを使うときインク交換が面倒。一方、ペン先をインクに浸して文字を書く「つけペン」は、手軽にインクの色を変えられますが、タッチの引っかかりなど書き心地に物足りなさを感じる人も…。これらの長所を両立させたのが、セーラー万年筆の「hocoro」や、パイロットの「いろうつし」といった万年筆のペン先を備えた書き心地の良いつけペン。ペン先を水でさっと流すだけで、カラフルで多彩な表現が可能となります。

システム手帳、ふたたび

「スケジュール管理やメモなどはもっぱらスマホやパソコンで」という人が増えました。しかし、〝手書きがしっくりくる派〟も依然根強く、最近では1980年代に流行した「システム手帳」の人気が再燃。
ちなみに筆者のおすすめは、デザインフィルの「PLOTTER」と、レイメイ藤井の「ダ・ヴィンチ グランデ　ロロマクラシック」。好みの書き心地や罫線の用紙を組み合わせられるのはシステム手帳ならでは。いずれも、持ち運びに適したコンパクトサイズが用意されているのもポイントです。

〝目〟にやさしいは、〝人〟にもやさしい

大栗紙工の「mahora」（まほら）ノートは、発達障がい当事者の声をもとに生まれた、目に刺激の少ないノートです。白い紙に比べて光の反射を抑えられる「レモン」「ラベンダー」「若草（ミント）」３色の国産色上質紙を中紙に使用。また、行の識別がしやすいように独自の罫線や網掛けを採用するなどの配慮がなされています。
インクルーシブデザイン（下段コラム参照）の典型とも言えますが、障がいを持つ人以外も使い心地のいいノートです。

column

「インクルーシブデザイン」ってなに？

従来、製品のターゲットから除外されがちだった人々——高齢者や障がい者、外国人、性的マイノリティなど——を含めて設計・開発を行う手法を「インクルーシブデザイン」と呼びます。特定の人向けに思えるインクルーシブデザインですが、実はそこに、誰にとっても「使いやすい」「便利」と感じられるアイデアが詰まっていることがあります。そんな視点から、思いがけずヒット商品が生まれることもあるかもしれません。

お肌はスベスベ、下じきはザラザラがいい

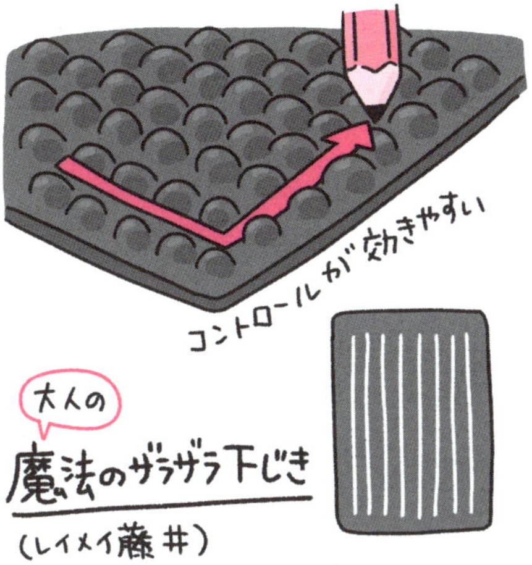

筆記具を思い通りに動かす力を「運筆力」と言います。子どもは筋力や骨格が未発達なため、この運筆力が弱く、きれいな文字を書くのが難しいとされます。
レイメイ藤井の「魔法のザラザラ下じき」は､表面に細かなドット加工が施されており、筆記具がすべりにくく、筋肉や関節に振動が伝わって感覚刺激が強くなるため、子どもでも整った文字を書きやすくなります。「文字を書くのが苦手」という大人向けに「大人の魔法のザラザラ下じき」も用意されています。

「色の違い」をすべての人に

人によって色の見え方には違いがあり､これを「色覚多様性」「色覚特性」などと呼びます。こうした色覚の違いに配慮し、誰もが色を判別しやすいよう工夫されているのが、プラスの「年組氏名 PP フラットファイル　ユニバーサルカラー」と、「みんなのふせん　強粘着」。
前者は「水色」「緑色」「クリーム色」「ピンク色」「青色」「赤色」の 6 色展開、後者は「あお」「みどり」「オレンジ」「ピンク」「ちゃいろ」の 5 色セットとなっています。

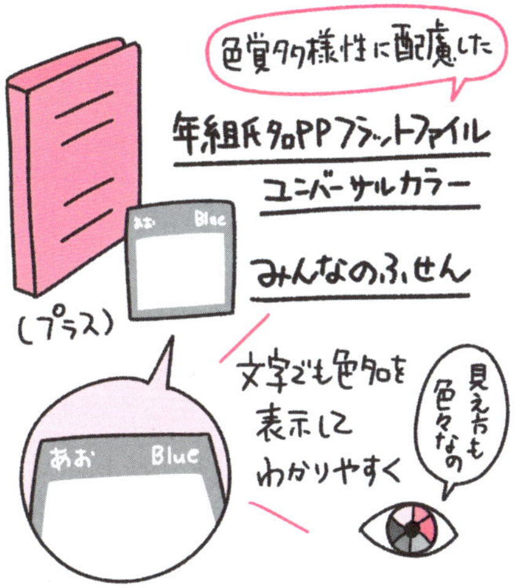

本書に登場した文房具　索引

ここでは、本書に登場した愛すべき文房具のうち、2025年5月時点で入手可能なものをリストアップし、五十音順に並べました。あなたの文房具選びの一助になれば幸いです。

【あ行】
アートブラッシュ…ぺんてる 64
アイン替芯シュタイン…ぺんてる 49
アラビックヤマト…ヤマト 125
アリシス…カール事務器 159
ALLEX 事務用はさみ…林刃物 122
安全刃折処理器ポキ…オルファ 117
安全はさみ きっちょん…クツワ 122
ippo! 低学年用かきかたえんぴつ…トンボ鉛筆 33
いろうつし…パイロット 185
色彩雫（いろしずく）…パイロット 184
インク工房100色インク…セーラー万年筆 12
インジェニュイティ 5th…パーカー 44
海のクレヨン…スカパーJSAT 183
AIR-IN…プラス 68
XSコンパクトホッチキス…ミドリ 144
mt…カモ井加工紙 131
エンゼル5プレミアム3…カール事務器 36
鉛筆シャープ…コクヨ 50
大人キャンパス…コクヨ 87
大人の鉛筆…北星鉛筆 50
オランテ…プラス 118
折る刃式カッターナイフ…オルファ 113
オレパ with のり…ソニック 119
オレンズ…ぺんてる 51

【か行】
替刃式カイコーンPRO…オルファ 181
カクノ…パイロット 57
ガチャック…オート 149
カドケシ…コクヨ 69
からっぽペン…呉竹 184
乾電池式鉛筆削り…プラス 36
消えいろピット…トンボ鉛筆 126
キャップレス…パイロット 57
キャンディ万年筆…セーラー万年筆 11
キャンパスノート…コクヨ 2、81、87、178
キャンパスバインダー スマートリング…コクヨ 91
キャンパスルーズリーフケース…コクヨ 93
キリヌーク…オルファ 119
グイクリップ…マックス 148
グリッサー…カール事務器 93
クルトガ…三菱鉛筆 50
くれ竹慶弔筆ぺんかぶら…呉竹 64
くれ竹筆…呉竹 63
クロッキーブック…マルマン 99
ゲージパンチ…カール事務器 93
ケシワード…シード 73
ケズリキャップ…シヤチハタ 37
月光荘 スケッチブック…月光荘画材店 101
コーネルメソッドノート…学研ステイフル 86
ココサス…ビバリー 139
ココフセン…カンミ堂 138

【さ行】
サクサ…コクヨ 123
サクリフラット…マックス 145
サファリ万年筆…ラミー 57
ジェットストリーム 海洋プラスチック…三菱鉛筆 182
ジェットストリーム…三菱鉛筆 6、41
SHIKIORI—四季織—…セーラー万年筆 12、184
ZIG メモリーシステム ウインク オブ ステラ ブラッシュII…呉竹 65
ZIG レターペンココイロ…呉竹 65
書翰箋…コクヨ 97
充電式電動消しゴム…プラス 69
図案スケッチブック…マルマン 99
スイング・ロジカルノート…ナカバヤシ 86
スーベレーン…ペリカン 56
スコッチ メンディングテープ…3M 130
スタビロボス…スタビロ 61
STÁLOGY 大きな半透明ふせん…ニトムズ 139
スティッキールステープラー…サンスター文具 144
ストーリア 顔料ボトルインク…セーラー万年筆 12
SMART FIT ACTACT バッグ・イン・バッグ…リヒトラブ 176
スライドクリップ…トーキンコーポレーション 148
スラリ…ゼブラ 44
セロテープ…ニチバン 129
測量野帳…コクヨ 105

【た行】
ダ・ヴィンチグランデ ロロマクラシック…レイメイ藤井 185
ダイヤメモ…ミドリ 104
卓上日めくり付せんカレンダー「himekuri」…ケープランニング 137
ダンボールカッター…ミドリ 181
チェックペン…ゼブラ 61

参考文献

『究極の文房具カタログ』高畑正幸（河出書房新社）／『ときめく文房具図鑑』山崎真由子（山と渓谷社）／『古き良きアンティーク文房具の世界：明治・大正・昭和の文具デザインとその魅力』たいみち（誠文堂新光社）／『最高に楽しい文房具の歴史雑学』ジェームズ・ウォード（エクスナレッジ）／『雑学科学読本 文房具のスゴい技術』涌井良幸・涌井貞美（KADOKAWA／中経出版）／『文具の歴史』田中経人（リヒト産業）／『事物起源辞典　衣食住編』（東京堂出版）

（敬称略）

TUZUアジャスト万年筆…セーラー万年筆……13
TSUNAGO…中島重久堂……32
ディークリップス…ミドリ……149
テープノフセン…ヤマト……138
デコラッシュ…プラス……131
テフレーヌ…キングジム……91
デュオフォールド…パーカー……56
デルガード…ゼブラ……51
電動鉛筆削りきスリムトレータイプ…ナカバヤシ……36
電動シャープナーDUO…アスカ……36
ドクターグリップ…パイロット……50
ドットライナー…コクヨ……127

【な行】

ナイスタック…ニチバン……130
中島重久堂 鉛筆削り…中島重久堂……37
Namiki 蒔絵万年筆…パイロット……56
練りゴム…ホルベイン……70
年組氏名PP フラットファイル
ユニバーサルカラー…プラス……187
ノーカーボンREPORT PAD…トヨシコー……97
ノートPCスタンド　BIZRACK…コクヨ……179
ノリノスポット…プラス……127

【は行】

ハート穴ルーズリーフ…LoveLeaf……92
パーフェクトペンシル…ファーバーカステル……33
ハイテックCコレト…パイロット……44
ハイマッキー…ゼブラ……60
Vaimo11 Flarme…マックス……143
ハイユニ…三菱鉛筆……30、33
バインダーMP…コクヨ……90
ハコビス…コクヨ……176
hocoro…セーラー万年筆……12、185
はりトルPRO…サンスター文具……145
ハリナックス ハンディ10枚…コクヨ……144
ハリナックスプレス…コクヨ……144
肥後守…永尾かね駒製作所……113
ピタン…ゼブラ……177
BICクリスタル…BIC……39
ピット…トンボ鉛筆……126
美文字筆ぺん…呉竹……65
100年台紙…ナカバヤシ……167
フィットカットカーブ…プラス……123
フエキ糊…フエキ糊工業……125
フエルアルバム…ナカバヤシ……166
付箋ノートが作りやすいふせん
…クラスタージャパン……137
ふせんボード…リヒトラブ……179
プラコート台紙…ナカバヤシ……167
フラッグペン…ペノン……183
フリクションボール…パイロット……43
プレイカラー2…トンボ鉛筆……60
フレーヌ…コクヨ……118
プレピー…プラチナ万年筆……57
プロジェクト耐水メモ…オキナ……105
ブロックロディア…ロディア……103
PLOTTER…デザインフィル……185
ペノット…コクヨ……177
ぺんてる慶弔サインペン…ぺんてる……64
ぺんてるサインペン…ぺんてる……59
ぺんてる修正液…ぺんてる……72
ボールサイン…サクラクレパス……42
ボールPentel…ぺんてる……41
ポケットポキ…オルファ……117
ポスカ…三菱鉛筆……60
ポスト・イット…3M……135
ホッチくる…マックス……145

【ま行】

マイスターシュテュック…モンブラン……56
マカロニクリップ…パレット……148
マジックインキ…寺西化学工業・内田洋行……59
まとまるくん…ヒノデワシ……68
mahoraノート…大栗紙工……186
魔法のザラザラ下じき…レイメイ藤井……187
マルス ルモグラフ…ステッドラー……33
みんなのふせん…強粘着　プラス……187
メモック ロールテープ…ヤマト……138
MONO消しゴム…トンボ鉛筆……67
モレスキン…モレスキン……104

【や・ら・わ行】

ヤマト糊…ヤマト……125
ユニ…三菱鉛筆……49
ユニ詰替用…三菱鉛筆……182
ライト台紙…ナカバヤシ……167
ラチェッタ ワン ハンディ鉛筆削り…ソニック……37
レーダー…シード……67
ワンパッチスタンプ…コクヨ……159

あとがき

物心つく前から、絵を描くことが好きで、暇さえあれば何か描いている子供でした。クレヨン、鉛筆、フェルトペン。らくがき帳にチラシの裏紙。何に描くか、何で描くかによって、描けるものはまったく違う。そう無意識のうちに感じていたことが、今になって振り返ると「道具としての文房具」と私の出会いだったのかもしれません。

昨今は「文房具ブーム」といわれ、最新文房具の情報が日々テレビや雑誌を賑わせていますが、この本では新旧にかかわらず、ある分野をゼロから切り開いた文房具、発売から現在にいたるまで長年にわたって愛され続けている文房具に焦点を当てよう、と考えました。近年ではパソコンやスマートフォンの普及により薄らぎつつあるものの、かつては仕事や勉強に必要不可欠な「道具」であったこと、またそのために生じる「切実さ」のようなものが、現在の豊かな「文房具文化」を形作る礎になった、と思うからです。

描くことが好きで、文房具が好きな私にとって、この本のお仕事は夢のようでした。会社勤めをしながらの執筆は想像以上に大変でしたが、多くの方のご理解とご協力を得て、どうにか形になりました。この場を借りて、御礼申し上げます。ただひとつ心残りがあるとすれば、書中で紹介しきれなかった文房具たちのこと。ですので、ここらで筆を置き……ません。描き続けるうちに、いつかまた、どこかで、お目にかかりたいと思います。

ヨシムラ マリ

アップルの創業者ステーブ・ジョブズは、世界初のパーソナルコンピューターを生み出し、それを「知の自転車（Bicycle for the Mind）」と呼びました。パーソナルコンピューターは自転車のように知性を飛躍的に拡張するという意味です。さしずめ文房具はシャベルや荷車のようなものかもしれませんが、人間にとって欠かせない知性を拡張する道具であることは間違いないでしょう。

大学卒業後の１９８０年代に、文房具メーカーに就職し、商品開発やマーケティングを担当しました。ちょうどその頃、ぼくはMacintoshと出会い、90年代には、日本初のMacintosh専門誌に転職。インターネットやＤＴＰ、デジタルムービーなどのテクノロジーが社会に浸透していく様子を、最前線で体験することができました。

当時、まだインターネットが登場する前のことですが、本書の編集を担当する新谷光亮さんがジョブズを取材（インタビュアーは当時の編集長Ｔ氏）。ジョブズは「今、興味を持っているのはエージェント。世界中を駆け巡って情報を集めてくるんだ」と述べています。まさに現在のＡＩ時代を預言したジョブズの面目躍如と言えるでしょう。

ＡＩが登場し、コンピューターは音速ジェット機並みに進化しましたが、人間の知的活動はコンピューターだけでは完結せず、日々のちょっとした活動を補助し、拡張するために文房具は必需品です。思いついたアイデアをまとめるとき、やはりメモ帳と鉛筆が便利。ぼくたちの周りから文房具がなくなることはありません。

トヨオカ アキヒコ（豊岡昭彦）

文房具の解剖図鑑

増補改訂版

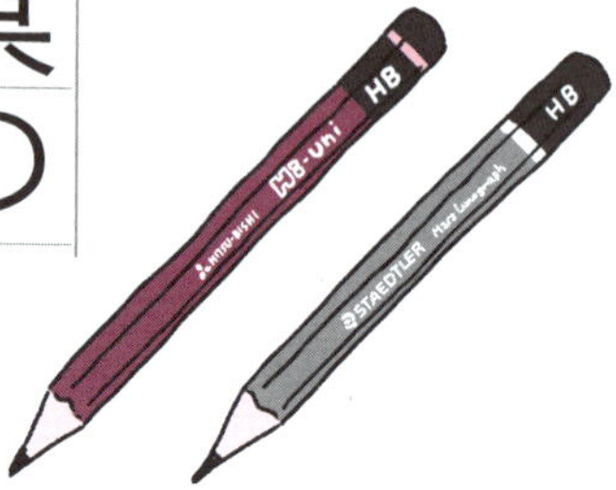

文房具の解剖図鑑 増補改訂版

2025年6月24日　初版第1刷発行

著　者 …………………… ヨシムラ マリ＋トヨオカ アキヒコ

発行者 …………………… 三輪浩之

発行所 …………………… 株式会社エクスナレッジ

〒106-0032　東京都港区六本木7-2-26

https://www.xknowledge.co.jp/

問合せ先

編集 ………………………… FAX 03-3403-0582／info@xknowledge.co.jp

販売 ………………………… TEL 03-3403-1321／FAX 03-3403-1829